잃지 않는 비트코인

THE CRYPTO TRADER

잇콘

잃지 않는 비트코인
The Crypto Trader

초판 1쇄 발행 2022년 1월 26일

지은이 글렌 굿맨
옮긴이 박진서

펴낸 곳 잇 콘
발행인 록 산
편 집 유영호
디자인 더블디앤스튜디오
마케팅 프랭크, 릴리제이, 감성 홍피디, 호예든
경영지원 유정은
등 록 2019년 2월 7일 제25100-2019-000022호
주 소 경기도 용인시 기흥구 동백중앙로 191
팩 스 02-6919-1886

ISBN 979-11-90877-50-3 13320
값 18,000원

더 나은 책을 만들기 위한
독자설문에 참여해보세요!
추첨을 통해 선물을 드립니다.
(당첨자 발표는 매월 말
잇콘출판사 블로그 참조)

NAVER 잇콘출판사

YouTube 잇콘TV

돈사연

잃지 않는 비트코인

잇콘

글렌 굿맨은 ITV 뉴스 리포터로 일하며 용돈벌이로 트레이딩을 시작했다.
그러던 어느 날 그는 자신이 트레이딩에서 꽤 성공적이며 TV 리포터가
오히려 용돈벌이였음을 깨달았다. 그는 2008년에 금융 위기가
일어난다는 데 베팅해 3,000파운드를 10만 파운드로 만들어 유명해졌으며,
이 일은 나중에 「더 타임스」에도 소개되었다.

글렌 굿맨은 BBC와 ITV 뉴스[1]의 비즈니스 특파원으로 일하며
테리사 메이[2], 보리스 존슨[3], 데이비드 캐머런[4] 등과 인터뷰를 했다.
트레이딩 수입이 증가하면서 그는 30대에 직장을 그만두었다.
그가 암호화폐 트레이딩을 시작하면서 그의 페이스북 페이지
'더 셰어즈 가이'(www.facebook.com/thesharesguy)는
세계 최대의 트레이딩 페이지 중 하나가 되었다. 그는 현재 BBC, 「포브스」,
LBC[5] 등의 언론매체와 정기적으로 인터뷰를 하고 있으며
런던정경대학에서 암호화폐 관련 기고 전문가로 활동하고 있다.

www.glengoodman.com

---

1   ITV News, 영국 최대 민간방송국 ITV 네트워크에서 제작하는 뉴스 프로그램-이하 옮긴이
2   Theresa May, 영국 제76대 총리, 보수당 대표, 영국 역사상 두 번째 여성 총리
3   David Cameron, 영국 제75대 총리, 보수당 대표, 최연소 영국 총리
4   Boris Johnson, 영국 제77대 총리, 보수당 대표, 런던시장, 외무장관 역임
5   London Broadcasting Company, 영국 최초 상업용 라디오 방송국

서문

이 책에서 다루지 않는 내용

이 책은 암호화폐가 어떻게 작동하고 그 기술이 세상을 어떻게 변화시킬 것인가에 관한 내용을 다루지 않는다. 만일 그런 내용을 원한다면, 구글에서 '암호화폐가 어떻게 작동하고 그 기술이 세계를 어떻게 변화시킬 것인가?'라고 검색해 보라. 쉽게 모든 답을 찾을 수 있을 것이다.[1]

이 책에서 다루는 내용

이 책은 인터넷에서 무료로 찾을 수 없는 내용, 즉 암호화폐 마스터 트레이더(바로 나)의 입증된 돈벌이 전략에 관한 것이다. 그렇다면 내가 '마스터 트레이더'인 이유는 무엇일까? 내게 암호화폐 트레이딩에 관한 어떤 학위가 있고, 가르치는 제자가 있어서일까? 아니, 나에게는 그보다 훨씬 더 가치 있는 것이 있다. 그것은 바로 고수익의

---

1 걱정할 필요 없다. 여러분이 구글을 검색하는 수고를 덜도록 제2장에서 이 기술 혁명의 핵심 사항을 설명한다.

암호화폐 트레이딩 실적과 20년 가까운 투자 경험이다. 나는 처음에 부업으로 시작했지만, 나중에는 하던 일을 그만둘 만큼 충분한 돈을 벌어 암호화폐 전업 투자자가 되었다.

내가 말하는 전업은 하루 종일 모니터에 붙어 앉아 각종 팝업 신호들을 지켜보는 것이 아니라 아내와 즐겁게 산책을 하고, 아이들과 놀아주고, 비디오 게임도 즐기고, 가끔씩만 거래를 하는 것을 의미한다. 그리고 실제 트레이딩에 해를 주지 않으면서도 트레이딩에 관한 책 한 권을 집필하는 데 집중할 수 있는 그런 전업을 말한다.

여러분은 "오호 그러세요?"라고 말할 것이다. 당연하다. 뭔가가 너무 좋아 보인다면, 특히 사기꾼이 넘쳐나는 암호화폐 세계에서는 믿기 어려운 것이 사실이다. 여러분은 아마 이런 의문들을 품을 것이다.

1. 이 사람의 전략이 그렇게 대단한 것이라면 왜 혼자만 아는 비밀로 간직하지 않을까?

   나의 전략은 내가 스스로 만들어낸 나만의 전유물이 아니라, 역대 마스터 트레이더들의 지혜를 모아 놓은 것이다. 나는 옛 서적 수십 권과 기사 수천 편을 읽었다. 수없이 많은 실수를 했고 각각의 실수로부터 배웠다. 지난 몇 년 동안 나는 이 모든 자료를 취합해 나 자신의 것이라 할 만한 성공적인 기법을 갖게 되었다. 나는 새로운 트레이딩 혁명을 시작하고자 이 책을 쓰고 있다. 수십 년 동안 대부분의 사람이 자신의 돈을 실적이 저조한 펀드매니저들에게 바쳤고, 펀드매니저들은 너무나도 형편없는 수익률에도 자기 배만 불렸다. 이제 여러분이 다시 자신의 돈과 미래의 주인이 되어야 할 때다. 신나지 않는가?

2. 그래, 좋아, 대단하군. 하지만 이런 아이디어를 퍼뜨릴수록 당신은 암호화폐 시장에서 분명 더 불리해질 것이 아닌가?

나의 적들은 이 책을 읽는 일반 사람들이 아니다. 천만 명이 내 전략을 따라 한다 해도 그들은 자금력이 너무 약해서 시장에서 나의 경쟁력에는 아무런 영향을 주지 못할 것이다. 나의 적들은 이미 모든 속임수를 알고 있고, 막대한 자금력으로 시장을 조종하고, 개미투자자들을 울리는 뱅스터(bangster)[2]이다. 이제 개미 투자자가 갚아 줄 때다!

3. 하지만 이 모든 얘기는 좀 무책임하지 않은가? 모든 금융 전문가들이 언론에서 우리가 다우존스 30[3]이나 FTSE 100[4] 지수의 실적을 모방하는 합리적인 인덱스 펀드[5]에 투자해야 한다고 말한다. 당신은 그저 사람들에게 도박을 하라고 부추기는 게 아닌가?

그 정반대다. 무책임한 것은 사실 인덱스 펀드의 수상이고, 오히려 나는 더 신중하면서도 더 수익성 높은 투자를 권유하고 있다. 정말 그렇다. 여러분이 2007년에 금융 전문가들의 충고를 따라 저축한 돈을 인덱스 펀드에 넣었다고 가정해보자. 당시는 그들이 모두 금융 위기가 곧 사그라질 것이라고 말했던 때였다.

그랬다면 여러분은 이후 18개월 동안 평생 저축한 돈의 절반 이상을 잃었을 것이다. 트레이더는 누구나 수익의 일부를 잃는 드로 다운[6]을 겪지만, 만일 내가 그렇게 50%나 되는 하락률을 경험하게 된다면, 나는 그만 투자를 접고 완전히 실패했다고 선언할 것이다. 내가 이렇게 오래 살아남아 성공한 것은 신중하기로 유명한 연기금보다도 더 조심스럽기 때문이다.

4. 하지만 주식시장은 언제나 결국 회복하기 때문에 그런 하락률은 괜찮지 않나?

맞다…. 결국은 그럴 것이다. 그러나 주식시장은 1929년 대폭락 이후에 회복하는 데 25년이나 걸렸다. 그리고 1966년과 1982년 사이에는 전혀 상승하지 않았다. 그리고 신용경색 이후, FTSE 인덱스 펀드는 2007년 수준으로 되돌아가는 데만 8년이 걸렸다. 나의 트레이딩 기법은 인덱스 펀드보다 훨씬 적은 위험으로 더 높은 수익을 창출한다. 펀드 운용 회사는 단순히 여러분의 돈을 가져간 후, 형편없는 수익을 주면서 여러분을 엄청난 위험에 노출시킨다. 그래도 좋은가?

5. 아니, 좋지 않군. 그렇다면 미래형 로보어드바이저[7] 앱 중 하나를 대신 사용하겠다.

원하는 대로 다 해보라. 간단한 알고리즘을 사용하는 이런 앱들은 여러분의 돈을 똑같은 인덱스 펀드에 넣어두고 그 대가로 상당한 금액을 청구한다는 것을 알아야 한다. 로보어드바이저가 인간 전문가와 다른 유일한 차이점은 로보어드바이저는 여러분의 돈을 가져가면서 인간처럼 얼굴에 미소를 짓지 못한다는 것뿐이다. 컴퓨터는 여러분에게 결코 근사한 암호화폐 수익을 안겨다 주지 않는다.

---

2 은행가를 뜻하는 banker와 깡패를 뜻하는 gangster의 합성어로 부당하거나 불법적인 일을 하는 은행 업계의 구성원을 뜻한다.-이하 옮긴이

3 미국 다우존스(Dow Jones)사가 뉴욕증권시장에 상장된 30개 종목의 주식을 표본으로 시장가격을 평균 산출하는 지수.

4 영국 런던국제증권거래소에 상장된 시가총액 상위 100개 종목의 주식으로 만든 지수.

5 특정 지수를 따르는 펀드. 지수 이상의 수익을 내기 어렵다.

6 draw down, 투자 평가액의 고점 대비 하락률을 말한다.

7 robo-adviser, 컴퓨터 인공지능으로 이루어진 소프트웨어 알고리즘으로, 투자자가 맡긴 자산을 대신 운용하거나 투자자 자산운용을 자문해 주는 서비스.

6. 그러면 당신이 자랑하는 그 엄청난 암호화폐 수익은 모두 어디에 있나?

다음과 같다.

PAIR	BASE PRICE	P/L%
XRP/BTC	0.000037480	454.33
SAN/BTC	0.000087270	404.10
NEO/BTC	0.0027007	146.55
EOS/BTC	0.00027800	134.21
LTC/BTC	0.010477	50.41
BCH/BTC	0.11533	40.52
XMR/BTC	0.018739	32.81
DASH/BTC	0.055645	31.38
OMG/BTC	0.0011700	15.89
IOTA/BTC	0.00023700	13.74
EDO/BTC	0.00031490	10.23

POSITIONS (11)

나의 암호화폐 거래 계정 중 하나(2017년 말)

이 사진은 2017년 말 내가 매매하던 거래 계정 중 하나를 캡처한 것으로 불과 두어 달 만에 얻은 수익이다. 지금은 매달 이런 수익을 내지 못한다. 아니 어쩌면 연 수익으로도 어려울지 모른다. 나는 이런 매매 기회를 제때 잡으려 인내심을 갖고 지켜봐야 했다. 하지만 중요한 사실은 내가 원금 손실의 큰 위험 없이 이 수익률을 달성한 것이고, 더 중요한 사실은 2018년 폭락이 오기 전에 수익을 챙기고 빠져나올 때를 알고 있었다는 것이다. 그럼 내가 어떻게 돈을 챙겨 빠질 때를 알았을까? 모든 걸 이 책에서 밝힐 것이다.

7. 그럼 이젠 모든 게 끝이 난 건가? 더는 기회가 없나?

언론에서 그렇게 말하니 사실일 것이다, 그렇지 않은가? '암호화폐는 끝났다', '비트코인은 죽었다' 나는 언론에서 그렇게 떠들어대니 기쁘다. 모든 역사적인 호황에는 역사적인 불황이 뒤따르며, 금융 매체에서 시장이 완전히 죽었다고 선언하고 투자자 대부분이 손을 들고 난 후에야 회복이 시작되고 다음 호황을 맞게 되는 법이다. 그런 일이 유사 이래 반복되고 있지만, 비교적 최근의 예로는 닷컴버블[8] 붕괴를 들 수 있겠다. 주가가 천정부지로 치솟던 신규 인터넷 업체들은 2001년에서 2003년 사이에 모두 자취를 감췄다. 부가 쌓였다가 사라졌다. 닷컴 시대는 완전히 끝났고 이제는 그들에게 투자하려는 사람을 찾아볼 수 없다. 아마존 주가는 94%나 폭락했지만, 제프 베이조스는 개의치 않고 묵묵히 신생 프로젝트에 온 힘을 기울였다. 94%의 폭락이 있고난 뒤 아마존을 바닥 근처에서 사들인 사람이라면, 지금 3만 퍼센트라는 엄청난 수익을 올리고 있을 것이다.

8. 맞다. 아마존은 당시에 분명 잠재력이 있었고 모두가 그 사실을 알고 있었다. 하지만 암호화폐는 과대 포장된 기술이고 살아남을 수 있는 유일한 방법은 암호화폐 회사들이 기존 은행들과 합치는 것뿐이라고 금융 전문가들은 말하고 있는데?

지난 2001년에 아마존은 그렇게 보이지 않았다. 자, 그 예로 「이코노미스트」는 그해 3월에 다음과 같이 썼다.

"아마존이나 이베이 같은 인터넷 기반의 신세대 기업들이 닷컴버블 붕괴에서 살아남을 수 있을까? 자신의 힘으로? 아마 못할 것이다. 아마도 기존의 경제 파트

---

8   1990년대 후반부터 2000년대 초반 사이에 인터넷 분야의 산업이 성장하면서 관련된 국가의 주식시장이 급격히 상승하고 폭락한 거품 경제 현상. IT 버블이라고도 한다.–옮긴이

너와 손을 잡아야 가능할 것이다."

9. 아, 무슨 말인지 알겠다. 그럼 당신은 암호화폐에 그런 잠재력이 있다고 생각하는가?

    그렇다, 그리고 나는 최근 BBC 인터뷰에서 정확히 이렇게 말했다.

한 세대에 한 번뿐인 기회

나는 수년간의 트레이딩 경험을 가지고 새로운 시장에 적용해 보았다. 암호화폐는 트레이딩의 새로운 개척 분야라서 보상만큼이나 리스크도 크다. 나는 2018년 침체기에도 괜찮은 수익을 낼 수 있다는 사실을 알게 되었다. 물론 불타는 강세장에서야 말할 나위도 없겠지만.

이 책에서는 암호화폐를 거래하는 데 어떤 사이트와 앱을 사용해야 하는지 알려줄 것이다. 그리고 수백 개의 암호화폐 중에서 무엇을 선택해야 하는지, 언제 매수해야 하는지, 각 암호화폐에 얼마를 투자해야 하는지, 그리고 언제 팔아야 하는지에 대해서도 알아보겠다.

한 세대에 한 번뿐인 기회이다. 여러분도 내가 그랬던 것처럼 이 기회를 꼭 잡기를 바란다.

서론

암호화폐 부자들

암호화폐의 출현은 인류 역사상 가장 혁신적인 시장 사건 중 하나이다. 그렇다, 너무나 중요한 사건이다. 수십억 달러 규모의 시장이 생기는 데 10년도 걸리지 않았다. 엄청난 부(富)가 생겼다. 물론 일부는 생겨난 것만큼이나 빠르게 사라졌지만 - 새로운 시장이 그렇듯 암호화폐는 부침이 심하다 - 앞으로 더 많은 부가 생겨날 것이다.

암호화폐의 출현은 금융계의 시민혁명이란 점에서도 놀랄 만한 일이다. 역사상 거의 모든 시장 혁신은 대형 은행들이 개척했다. 그들은 초창기 수익을 쓸어 담고 여러분이나 나 같은 개인 투자자에게는 부스러기만 남겼다. 하지만 이번에는 우리 같은 사람들이 큰돈을 벌 기회인 반면 은행들은 도무지 이해할 수 없는 일들에 당황하고 겁을 먹어 손을 놓고 있다.

솔직히, 나는 정말 행복한 시간을 보내고 있고 이제 여러분을 초대하려 한다. 나는 경험을 통해 투기 욕심을 다스리는 법과 고비를 넘어 정상에 오르는 법을 배웠다. 이제 내 모든 지식을 여러분에게 전해주고자 한다.

먼저 한 가지 팁으로 시작해보자. 존 F. 케네디의 아버지 조지프 케네디는 1929년에 구두닦이 소년이 주식 정보를 얘기하기 시작할 때, 그해 주식시장이 곧 붕괴하

리란 사실을 알았다는 유명한 말을 했다. 나 자신의 '구두닦이 소년의 순간'은 2017년 12월 장모님이 내게 비트코인을 어떻게 사느냐고 물었을 때 찾아왔다. 품위 있는 우리 장모님은 평생 컴퓨터를 사용하거나 인터넷에 접속하신 적이 없었지만, 그분조차도 이제는 비트코인 노다지판에 들어가고 싶어 했다.

자, 여러분은 2017년 말에 비트코인이 과대평가 된 사실은 누구라도 알 수 있었다고 주장할 수 있을 것이다. 결국, 각종 TV 뉴스 채널에서 금융계의 모든 유명 인사들을 내세워 비트코인이 곧 터질 허울 좋은 거품에 불과하며 17세기의 '튤립 파동'과 다르지 않다고 진지하게 선언하기에 이르렀다.[1] 그러나 폭락을 잘난 체하며 예측하는 것과 타이밍을 정확히 잡아 돈을 많이 버는 것은 완전히 다른 문제다. (참고로 유명 인사들은 전자에 속했고, 나는 후자였다.)

1장에서는 암호화폐 열풍에 대한 색다른 이야기를 들려주고 내가 롤러코스터 같은 시장의 등락 속에서 어떻게 성공적으로 살아남았는지를 얘기하겠다. 부자가 되려면 투기 열풍의 단계를 이해하는 것이 중요하다. 왜냐하면 다음번에도 투자 열

---

1   네덜란드에서 재배된 튤립은 17세기 유럽에서 큰 인기를 끌었다. 유행은 대중의 광기로 바뀌었고 희귀한 튤립 구근은 1637년 가격이 미친 듯이 올랐다가 끝내 폭락했다.

풍이 올 것이 확실하기 때문이다. 그리고 그 열풍은 한두 번으로 끝나는 게 아니라 언제나 계속해서 나올 것이다.

2장에서는 기본으로 돌아가서 무엇이 암호화폐를 움직이는지 알아보겠다. 앞서 말했듯이 이 책은 기술에 관한 책이 아니지만, 이 장에서는 여러분이 앞으로 찾아올 구미 당기는 암호화폐 기회를 알아채는 데 필요한 지식을 제공할 것이다.

나는 비트코인(또는 그 시스템)이 발명되기 훨씬 이전부터 트레이딩을 해왔는데, 3장에서는 트레이딩을 배우면서 내가 겪었던 승리와 비극 -대부분이 비극이지만- 에 대해 이야기한다. 여러분도 알게 되겠지만 내가 자초한 그런 큰 실수를 통해 나는 트레이더가 배울 수 있는 가장 큰 교훈을 얻었다. 지금 생각해 보니 좀 불공평한 느낌이긴 하지만, 여러분은 똑같은 아픔을 겪지 않고 그 교훈을 배울 수 있을 것이다.

이 책의 2부는 '돈을 벌자'이다. 아자! 여기에서는 여러분이 성공적인 암호화폐 트레이더가 되는 데 필요한 도구와 요령을 알려줄 것이다. 계좌 개설과 거래 실행, 가격 차트 활용과 암호화폐 조사에 필요한 단계들을 알려 줄 것이다. 다른 트레이더들보다 강한 경쟁력을 갖기 위해 내가 사용하는 암호화폐 사이트와 앱을 여러분에게 공개하겠다. 이 모든 것이 4장에 담겨 있다. 5장부터 12장까지는 나의 트레이딩 기법들, 즉 매수 종목 결정 방법, 매수 및 매도 시기, 기술적 및 기본적 분석, 매수 대 공매도, 그리고 리스크 관리의 필수 기술에 대해 자세히 살펴보겠다. 또한 내가 최고로 잘 매수했던 흥미로운 사례도 실려 있다.

3부에서는 이 모든 것을 묶어 하나의 트레이딩 전략에 집약해 넣을 것이나. 또한, 대부분의 트레이더들이 실수하는 공통적인 심리적 함정들과 그것들을 피하는 법에 대해서도 알아보겠다.

여러분이 이 책을 다 읽었다면, 나는 여러분에게 부자 되기에 실패해보라고 감히 말하겠다.

어디 한번 해보라, 여러분은 부자가 될 수밖에 없다고 내가 장담한다.[2]

---

2 부자가 되지 못했다면, 부가 성공적으로 로딩될 때까지 여러분 인생을 다시 부팅하길 바란다.

CONTENTS

서문   006

서론: 암호화폐 부자들   014

PART 1
암호화폐란
대체 무엇인가?

제1장: 암호화폐 열풍   024
패러다임이 바뀌었다
디지털 화폐, 그 이상의 가치
그러나 좋기만 할 수는 없다
포모(FOMO)
사기꾼은 어디에나 있다
람보르기니의 악몽
'존버'는 정말 살 길일까

제2장: 크립토버스   042
사토시, 괴물을 만들다
채굴이란
화폐 권력에 도전하다
이미지니어링
커져가는 크립토버스
비트코인의 아류, 알트코인
2세대 암호화폐, 이더리움
기술은 그만. 이제 돈을 보여줘라

제3장: 3천 파운드가 10만이 되기까지   054
내 삶의 최고의 순간
존버해야 하나, 말아야 하나
손실은 반드시 줄여라
감정 조절의 중요성
두 가지 핵심 규칙
이겼지만 위험했던 승부
세 번째 규칙: 추세를 확인하고 매매하라

PART 2
돈을 벌자

제4장: 암호화폐를 사고파는 법　　　　　080
키와 지갑을 잊지 않도록 조심하라
　핫 월렛
　콜드 스토리지
비트코인 매수 방법
암호화폐 거래소
　바이낸스(Binance)
　코인베이스 프로(Coinbase Pro)
　크라켄(Kraken)
트레이딩 화면 이해하기
　가격 차트(Price chart)
　시장(Markets)
　주문창(Trading form)
　포지션(Positions)
　호가창(Order book)
　수수료
스프레드 베팅
요약

제5장: 나의 돈벌이 전략　　　　　104
데이 트레이딩은 질 수 밖에 없다
추세는 여러분의 친구다, 꺾이기 전까지는
추세를 따르는 것이 유리한 이유
추세가 추세가 아니라면?
참고, 참고, 참아라

제6장: 목표를 선택하는 법　　　　　116
미래는 아무도 모른다
주요 추세 파악하기
유망한 패턴

제7장: 단서는 차트에 있다　　　　　124
캔들 차트
완벽한 매수 포인트는?
돌파를 좇지 마라!
직각삼각형

대칭삼각형

쐐기형

깃발형

헤드앤숄더형

엘비스 구름

섣불리 움직이지 마라

거래량

패턴에서 패턴으로

제8장: 암호화폐의 펀더멘털   152

암호화폐에도 펀더멘털이 있을까

엉터리 웹사이트에 속지 마라

ICO는 신중하게 접근할 것

NVT 비율

NVM 비율

생산 비용 모델

사회적 감성 지표

차트를 믿지 마라

제9장: 나의 최고의 암호화폐 매수 시례   174

산티멘트(SAN)

리플(XRP)

네오(NEO)

비트코인(BTC)

이더리움(ETH)

매수가 전부가 아니다

제10장: 매도 시기 판단하는 법   188

이동평균선 활용하기

ATR 추적하기

안드로이드처럼 매매하라

파도타기 전략

손절매를 해야 하는 순간

요약

제11장: 얼마나 매입할 것인가   214

리스크가 관건이다

동일한 비중으로 구성한 포트폴리오
리스크를 동등하게 할당한 포트폴리오
포지션 크기 결정하는 방법
주기적으로 포트폴리오를 조정하라
피라미딩 전략 활용하기

제12장: 암호화폐도 공매도가 가능할까   **223**
공매도는 나쁜 것이라는 생각

PART 3
극복해야 할 심리적 함정과 트레이딩 원칙

제13장: 우리가 놓치고 있는 요소   234
제시 리버모어의 비극

제14장: 중요한 건 멘털이다   237
마진콜의 함정
왜 돈을 벌수록 무모해질까
왜 하락하면 팔지 못할까
매몰 비용의 오류
손실에 담담해지는 훈련
암호화폐는 당신의 연인이 아니다
유명 암호화폐와 무명 암호화폐
'확실한 정보'의 무서움
바겐세일의 환상
너 자신을 알라

제15장: 똑같은 일상에서의 탈출   254
중요한 건 행복한 삶이다
암호화폐를 자산의 하나로 인정하기
원칙을 지켜라

제16장: 그러면 마지막으로…   259

찾아보기   **261**

PART

1

암호화폐란
대체 무엇인가?

암호화폐 열풍

"그래서 정확히 얼마를 번 거야? 학자금 대출을 갚을 만큼? 집을 살 만큼? 다시는 일하지 않아도 될 만큼?"

내 앞에서 커다란 몸집의 추레한 노숙자같은 녀석이 어정거리며 멋쩍게 씩 웃었다.

"음… 다시는 일하지 않아도 될 만큼?"

라즈는 수줍음이 많은 네덜란드 출신 대학원생으로 비트코인이 아직 3달러에 불과할 때 노트북으로 비트코인을 엄청나게 채굴하기 시작했다. 그런데 가격이 100달러, 1,000달러, 1만 달러로 오르는 것을 보고 어리둥절했다. 억세게 운도 좋은 녀석! 하지만 도저히 그를 미워할 수가 없었다. 얼토당토않게 부자가 되었지만 너무나 사랑스러웠다.

"이런 블록체인 콘퍼런스를 몇 군데 더 돌아다니며 한잔 마시면서 잡담이나 해야겠어요."

그는 낄낄 웃으며 이메일 주소밖에 없는 명함을 내게 건넸다.

dx8j_-^+1+@7bs-8c-7np.com[1]

패러다임이 바뀌었다

나는 가격 폭락을 계기로 비트코인 거래를 시작했지만, 아마도 여러분이 생각하는 그 폭락은 아닐 것이다. 2013년 새로 나온 이 재미난 돈에 대한 흥분은 세계 최대 비트코인 거래소인 마운트 곡스(Mt. Gox)가 해킹당해 비트코인 85만 개가 도난당하면서 순식간에 혐오로 바뀌었다. 비트코인 가격은 개당 1,200달러에서 160달러로 85%나 넘게 폭락했다. 2014년 나는 처음으로 발을 들였고 300달러 선에서 사고팔았다.

내게 예언자의 수정 구슬이 있었다면, 나는 그 순간부터 2017년 말까지 비트코인을 보유해 6,000%의 수익을 냈을 테고, 이 책의 제목은 '크립타다무스(Cryptadamus): 억만장자 비트코인 예언자'가 되었을 것이다. 어쩌면 이 순간에도 책을 집필 중인 크립타다무스도 더러 있을 것이다. 그러나 사실 마운트 곡스 도난 사건 직후만 해도 여러분이 포트폴리오에서 적지 않은 비중의 자산을 비트코인에 넣었다면 마법의 콩 한 줌을 받고 평생 저축한 돈을 건네는 것이나 다름없었다. 당시 「파이낸셜 타임스」의 유명한 특파원 이사벨라 카민스카는 이렇게 썼다.

"이제 비트코인이 끝났다는 데 우리의 목을 걸겠습니다."[2]

---

1 라즈의 신원과 엄청난 돈을 보호하기 위해 이 이메일 주소에서 한 문자를 바꾸었다. 어떤 것인지 알아맞혀 보시길.
2 이사벨라 카민스카, FT 알파빌, 2014. 9. 19. '과열 시장: 버블이 터질 때'.
   ftalphaville.ft.com/2014/09/19/1976132/cult-markets-when-the-bubble-bursts

맞는 말이었다. 비트코인이 완전히 폭락하거나 E-골드[3]보다도 못한 처지에 내몰릴 가능성이 충분했다. (E-골드를 기억하는가? 모른다고? 당연하다.)

비트코인을 사고팔면서 짭짤한 수익을 내기도 했지만, 내가 암호화폐가 대박이 되리라고 깨달은 건 암호화폐 기술이 발전하면서다. 증기기관, 전기, 전화, 컴퓨터, 인터넷, 그리고 이제 암호화폐 차례였다. 암호화폐는 한 세대에 한 번 나올까 말까 한 옛 기술에서 신기술로 넘어가는 패러다임의 전환이었고, 내게는 결코 놓칠 수 없는 기회였다.

디지털 화폐, 그 이상의 가치

암호화폐는 지폐나 동전과 같은 실제 형태가 없이 디지털로만 존재하는 화폐이다. 보통 인터넷을 통해서만 구입하고 사용할 수 있으며, 그 과정에서 한 계정에서 다른 계정으로 전송이 이루어진다. 1,000개가 넘는 다양한 암호화폐가 있으며, 어떤 것은 개당 가치가 다른 것보다 훨씬 더 높다. 다음은 책 집필 당시의 주요 암호화폐 가격이다.

bitcoin	ethereum	litecoin
비트코인	이더리움	라이트코인
$ 5138	$ 159	$ 69

---

3 금본위 인터넷 디지털 화폐로 한동안 인터넷시장에서 큰 인기를 끌었지만 2008년 서비스가 중단되었다.-옮긴이

지난 2014년, 사람들은 비트코인이 언젠가는 세계 주요 통화로 자리 잡고, 어쩌면 세계 기축통화(국제 무역에 사용되는 주요 통화)로서 달러를 대체할 거라고 얘기했다. 내 생각은 어쩌면 그럴지도 모르고 아닐지도 모른다는 거였다. 그 기술이 아무리 뛰어나다 해도 세계 제패는 내게 희망 사항, 즉 끝없이 돈을 찍어내는('양적완화') 세계 주요 중앙은행들에 짜증이 난 사람들을 위한 꿈의 시나리오처럼 보였다.

하지만 이더리움이 등장했다. 단순한 통화 기능을 훨씬 뛰어넘는 이더리움은 분산형 세계 컴퓨터가 되도록 설계되었다. 갑자기 가능성이 무궁무진해졌다. 새로운 앱들이 이더리움 코드상에 만들어져 돈과 무관한 수많은 세계 문제들을 해결할 수 있었다. 이 발명품에 나는 완전히 혹 갔다(우와!). 이때가 내게는 진정한 깨달음의 순간이었다.

그러나 좋기만 할 수는 없다

2017년, 전 세계의 이목이 쏠렸다. 관심이 폭발했고 가격도 급등했다. 사람들이 모두 비트코인 가격이 "달을 향해!" 간다고 떠들어댔기 때문이다. 내 페이스북 페이지는 무슨 일이 일어나고 있는지, 그리고 어떻게 자기도 동참할 수 있을까 알고 싶어 안달하는 수십만 사람들의 광장이 되었다.

새로 발행된 암호화폐로 백만장자가 된 이들은 인스타그램에 자랑하려고 형광 람보르기니에 현금을 쏟아부었다. 이제 새로운 암호화폐가 ICO(Initial Coin Offering, 암호화폐 공개)를 통해 출시될 때마다 모든 사람들의 관심은 토큰을 몇 개 매수해서 얼마나 빨리 람보르기니를 살 수 있을까 하는 것뿐이었다. "람보르기니는 언제?"가 유행어가 되었다.

람보르기니는 언제?
출처: ilovecryptocoin.com

불행하게도 역사를 통틀어 모든 호황과 열풍이 그렇듯, 사람들 대부분이 관심을 가질 때는 이미 꼭지가 가까운 때였다. 나는 팔로워들에게, 지금 신이 날지 모르지만 위험한 시기이고 굳이 비트코인을 사겠다면 잃어도 좋을 만큼만 투자해야 한다고 끊임없이 경고하였다. 귀를 기울인 사람도 그렇지 않은 사람도 있었다. 후자는 보통 큰 수익을 빠르게 얻으려는 데 정신이 팔린 사람들이었고 세상에는 그들을 허황된 약속으로 속여먹는 악덕 사기꾼들이 많았다.

포모(FOMO)

2017년 말, 내 이메일의 받은 편지함은 무한한 부(富)의 비밀을 알고 싶어 하는 사람들로 넘쳐났다. 그들에게 비트코인 버스는 이미 떠났을 거라고 해봤지만 아무런 소용이 없었다. 포모의 힘이 강하게 자리 잡았다. 포모는 널리 알려진대로 'Fear Of Missing Out(좋은 기회를 놓칠까 봐 불안한 마음)'의 약자로 수많은 밈[4]을 만들어냈다.

적어도 이 밈들은 2만 달러짜리 비트코인에 자기 돈을 모두 쏟아 넣는 사람들 사이에 쥐꼬리만큼이라도 자각이 있다는 것을 보여주었다. 그들은 광풍의 꼭지일지도 모르는 가격에 매수하는 게 그리 현명한 행동은 아니라고 알고는 있었지만, 나 혼자만 부자가 못 된다는 두려움을 이겨내기가 쉽지 않았다. 이런 사람 중 대다수는 지금 당장 500달러를 자기 계좌에 송금하면 확실히 큰 수익을 보장한다는 사기꾼들에게 손쉬운 먹잇감이었다.

이미 사기를 당한 경험이 있는 사람들조차도 한 번 더 시도해 볼 용의가 있는 것처럼 보였다. 사기꾼과의 채팅을 캡처한 사진을 내게 보낸 사람은 이미 평생 모은 돈을 대부분 빼앗긴 상태였지만, 보다시피 남은 돈마저 건네주려고 안달했다.

사기꾼들은 유명인을 사칭하기 시작했다. 머니세이빙엑스퍼트닷컴[5]의 마틴 루이스는 자신의 이름과 얼굴을 도용한 모든 사기 광고 때문에 페이스북에 항의했다. 나는 심지어 '데이비드 윌리엄스'로부터 이런 친절한 메시지를 받았다.[6]

포모는 현실이야

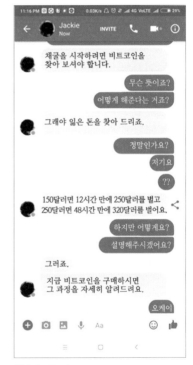

출처: Facebook.com

---

4 meme, 온라인에서 유행하는 재미난 말을 이용해 다시 만든 그림이나 사진.-이하 옮긴이

5 MoneySavingExpert.com, 금융 저널리스트 Martin Lewis가 2003년 개설한 영국의 소비자 금융 정보 사이트.

6 David Walliams, 영국의 유명한 코미디언이자 배우.

데이비드 윌리엄스 / 더 셰어즈 가이
비트코인, 암호화폐 & 주식
59분

나는 암호화폐 트레이더로 하루에 200% 이상 수익을 냅니다. 관심이 있으시면 트레이딩을 가르쳐 드리거나 도와드릴 수 있습니다. 3개월이면 5,000달러를 5만 달러로 만들어 드릴 수 있습니다. 암호화폐 매매 대상은 비트코인이 아니라 외환과 비슷하게 비트코인이 알트코인 거래에 쓰이고 있음에 유의하시기 바랍니다. 비트코인이 처음이라 자세히 알고 싶으시다면 연락해주십시오. 이 기회를 놓치지 마세요.

사기꾼들이 여러분을 속여 '투자'라는 이유로 비트코인을 구매해 자기 비트코인 주소로 보내게 할 경우, 그들은 모네로[7]처럼 최고의 익명성이 보장되는 암호화폐를 이용해 사실상 추적이 불가능한 일련의 거래를 통해 순식간에 여러분의 돈을 채간다.

사기꾼은 어디에나 있다

찰스 폰지

암호화폐는 기회주의자에게 비옥한 땅이었지만 조직적인 폰지 사기[8]의 온상이기도 했다.

전설적인 사기꾼 찰스 폰지의 이름을 딴 이 폰지 사기는 언제나 비현실적으로 높은 수익을 약속하며 사람들을 꼬드긴다. 이 사기꾼들은 초기 투자자들에게 약속한 큰 수익을 신규 투자자들에게서 받은 돈으로 지급하면서 새로운 고객들에게 그들도 수익을 낼 수 있다는 것을 '증명'한다.

폰지 사기는 창립자들만 부자가 되고 마지막에 들어온 투자자들(제일 수가 많은)은 빈털터리가 된다.

비트커넥트를 사랑합니다!!!

원코인[9]은 새로운 기능을 갖춘 진정한 암호화폐임을 내세우며 나왔지만 이른바 폰지 사기 혐의를 받고 있다. 전 세계 수천 명의 사람이 차세대 비트코인이라고 믿으며 약 24억 달러를 투자했지만[10] 그 창립자들은 결국 여러 국가에서 체포되었다.[11]

나는 팔로워들에게 원코인과 함께 아주 인기가 있지만 너무나 의심스러운 또 하나의 '코인'인 비트커넥트[12]에 대해서도 자주 경고했다. 여러분도 비트커넥트 투자자인 카를로스 마토스(Carlos Matos)가 태국에서 열린 집회에서 군중을 선동하는 동영상을 본 적이 있을 것이다.[13]

---

7   Monero, 2014년 개발된 암호화폐. 익명성이 특징으로 계좌추적이 어렵다.-옮긴이

8   Ponzi Scheme, 신규 투자자의 돈으로 기존 투자자에게 수익을 지급하는 다단계 금융사기. 1920년대 미국에서 찰스 폰지(Charles Ponzi)가 벌인 사기행각에서 유래됐다.-옮긴이

9   2014년 시작한 다단계 회원모집 형식의 암호화폐. 원코인의 판매방식을 딜셰이커(dealshaker)라고 한다.-옮긴이

10 <사우스차이나모닝포스트>, 2018년 5월 29일 '발표에 따르면 중국은 원코인 암호화폐 수사에서 98명을 기소하고, 2억 6,800만 달러를 회수했다'.
    www.scmp.com/tech/article/2148114/china-prosecutes-98-people-recovers-us268-million-onecoin-cryptocurrency

11 2019년 3월 원코인 설립자 이그나토프와 동생 이그나토바는 미국에서 체포되었고 11월 돈세탁 및 사기 혐의를 시인했다고 영국 BBC가 보도했다.-옮긴이
    https://www.bbc.com/news/technology-50417908

12 Bitconnect(BCC), 사용자가 암호화폐를 회사에 빌려주고 대여 기간에 따라 수익을 받는 시스템으로, 추천을 통해 신규가입자를 모으면 추가로 배당해주어 인기를 끌었다.-옮긴이

13 www.youtube.com/watch?v=xK3yuxrmCac

비트커넥트의 디지털 토큰은 카를로스의 열정적인 선동에 힘입어 2017년 시가총액이 무려 30억 달러에 달했다. 비트커넥트는 심지어 유명한 암호화폐 가격 비교 사이트인 코인마켓캡(coinmarketcap.com)에 등재되어 세계 20대 암호화폐에 오르는 성과를 이루기도 했다.

암호화폐에서 쭉정이와 알맹이를 구별하는 법을 배운 사람들은 사기의 전형적인 신호를 모두 알아챌 수 있었다. 주의해야 할 주요 경고 신호는 다음과 같다.

1. 비현실적인 주장. 비트커넥트 프로모터들은 보통 월 40%까지의 고수익을 약속했다. 이더리움 창시자 비탈릭 부테린은[14] 그런 약속이야말로 폰지 사기가 확실하다는 뜻이라고 말했다.

2. 디단게 마케팅. 비트커넥트는 기존 회원에게 돈을 주고 신규 회원은 모집하는 전형적인 피라미드 구조를 사용했다. 이런 종류의 제휴 네트워킹 구조는 합법적인 사업에서도 자주 사용되지만, 지나치게 남용될 경우 경고 신호가 될 수 있다.

3. 투명성 부족. 대부분의 진짜 암호화폐의 핵심 특징은 공개성이다. 암호화폐 창시자들은 보통 다른 유형의 컴퓨터 전문가들이 비판하고 개선할 수 있도록 자신의 프로그래밍 코드를 공개한다. 게다가 시스템이 어떻게 작동할지에 대한 기술적인 내용이 상세히 들어있는 **백서**도 발행한다. 비트커넥트의 기술 대부분은 비공개였을 뿐만 아니라 이 모든 것을 실제로 누가 운영했는지도 몰라서 상당한 혼란이 있었다.

---

14 Vitalik Buterin, 블록체인 시스템이자 암호화폐인 이더리움(Ethereum)을 개발한 프로그래머.-옮긴이

4. 비공개 트레이딩. 진짜 암호화폐는 보통 토큰을 자유롭고 공개적으로 제3자 거래소에서 거래할 수 있어서 매수자와 매도자가 시세를 결정하게 한다. 비트커넥트의 토큰 거래는 상장 기간의 대부분 동안 회사 내에서 엄격하게 통제되었다.

2018년 1월 사법당국이 들이닥쳤고 비트커넥트는 거래소 플랫폼을 폐쇄했다. 비트커넥트는 개당 최고 475달러에서 41센트로 떨어지며 99.9% 폭락했다.

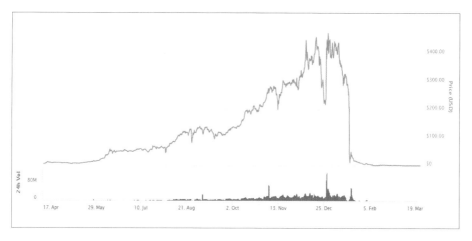

비트커넥트(BCC) 가격 차트

출처: coinmarketcap.com

그들의 약속은 환상이었지만 피해자들은 진짜였다. 소셜미디어는 다음과 같은 이야기로 가득했다.

이럴 순 없어. 난 모든 걸 잃었다. 모든 걸...

이건 악의적인 장난이겠지? BCC가 코인마켓캡에서 30달러라고 한다. 텔레그램에서 사람들은 BCC가 이제 8달러도 안 된다고 말하는데, 정말인가? 이게 진짜라면 난 망했다. 정말로 쫄딱 망해서 아무것도 남은 게 없다. 내가 가진 모든 걸 여기 쏟아부었는데, 그들을 믿었기 때문이다. 정말이지 우리 가족이 모은 돈이 모두 BCC에 들어가 있다. 친구가 모험해볼 만한 가치가 있다고 말해줬기 때문이다. 내가 정말 모든 걸 잃었다는 얘긴가? 8만 달러가 흔적도 없이 사라졌다고? 지금 너무 화가 난다. 아내는 아직 모른다. 곧 집에 올 텐데 뭐라고 말해야 하나? 이제 어떻게 가족을 먹여 살리지? 내겐 지금 말 그대로 아무것도 남은 게 없다. 아내와 두 아들이 있는데 난 무직이다. 이제 가족은 어떻게 하란 말인가? 누군가 이 사태에 대한 책임을 져야 한다. 돈으로 안 되면 벌이라도 받아야 한다.

⬆ 52 ⬇　　　　💬 154　　　　⬆ Share

출처: Reddit.com

　자, 비트커넥트 하면 떠오르는 대표적인 인물, 카를로스 마토스는 어떻게 되었을까? 그는 동영상에서 자기도 다른 많은 사람과 마찬가지로 이 '재앙'으로 돈을 많이 날렸고 '사기꾼'에게 속았다고 해명했다. 하지만 그는 이 경험을 귀중한 교훈으로 기쁘게 받아들였다. 카를로스, 과거는 잊고 성투하기를…. 하지만 불행히도 모든 사람이 교훈을 얻는 것은 아니다.

출처: Facebook.com

내게 연락해온 이 여자는 '진짜' 폰지 사기를 찾고 있었다. 폰지 사기도 진짜와 가짜가 있단 말인가? 나는 여자의 위험한 투자를 말리려고 최선을 다했지만, 여자는 여전히 많은 사람이 그렇듯 자기가 충분히 일찍 들어가기만 한다면 다음번에는 피라미드 맨 밑바닥의 먹잇감이 아닌 폰지 사기의 승자가 될 수 있으리라 생각한다. 불행하게도 빈곤한 생활에서 벗어나고자 하는 절박함은 종종 사람들을 사기꾼들의 품으로 몰아넣는다.

람보르기니의 악몽

2017년 크리스마스이브에 나는 비트코인에 대해 경고하며 팔로워들에게 미리 크리스마스 선물을 줬다. 2년 동안의 상승 추세가 깨졌고 파티는 끝났다.

동영상에서 나는 비트코인 가격이 어떻게 전형적인 '지수곡선(exponential curve)'처럼 오르고 있는지에 대해 얘기했다. 이번 주에는 가격이 그 곡선을 뚫고 하락했다. 이것은 경고 신호다. 투자 리스크가 이제 커졌다. 어쩌면 가격이 다시 상승해 그 어느 때보다 더 오를 수도 있겠지만, 그 예쁘고 순탄하며 예측 가능한 2년간의 상승세는 이제 끝났고 아무도 앞으로 가격이 어디로 향할지 알 수 없다.

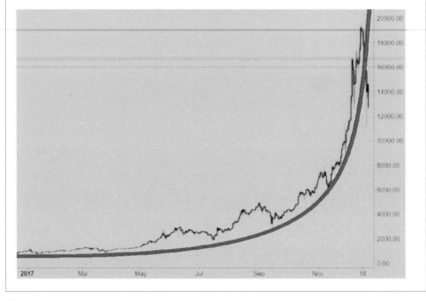

출처: www.facebook.com/thesharesguy

나는 12월과 1월에 가진 암호화폐를 모두 팔았지만, 대부분의 사람은 여전히 가격이 회복하기를 기대하며 버텼다. 이 시점에서 그들은 이미 투자가 아닌 도박을 하는 셈이었다. 가격이 조금이라도 회복하면 비트코인이 다시 한번 간다는 확신에 찬 목소리들이 나올 것 같았다….

달을 향해 가즈아!
출처: Marcus Connor

'비트코인 롤러코스터' 밈은 비트코인 트레이더들이 올라탄 감성 롤러코스터의 상징이 되었다. 가격이 조금 오를 때마다 소셜미디어는 온통 이 밈으로 가득했다. 이 밈은 너무나 인기를 끌어 입소문을 타고 막대한 부를 꿈꾸는 모든 이들에게 퍼져나갔다.

이것은 폭락의 부정 단계였다. 몇 주가 흐르는 동안 가격은 크게 하락했다가 조금씩 상승하면서 투자자들을 희망고문했다. 그러나 그런 잠깐의 반등들은 점점 더 설득력을 잃어갔다. 퍼드(FUD)가 찾아왔다. 암호화폐에서 퍼드는 포모의 반대 현상이다. (미안하지만 암호화폐를 거래하려면 이런 용어들을 알아야 한다.) 퍼드는 공포

출처: iNeedThis.lol

(Fear), 불확실성(Uncertainty), 의심(Doubt)을 뜻한다. 퍼드는 소셜미디어에서 무서운 루머를 통해 퍼지고 가격을 떨어뜨린다. 2018년 1월 구글에서 퍼드를 찾아보려는 검색이 급증했다.[15]

---

15 trends.google.com/trends/explore?q=fud

'존버'는 정말 살 길일까

2018년 2월 비트코인 가격은 거의 2만 달러에서 6,000달러로 떨어졌다. 많은 사람이 여전히 '호들링'[16]하고 있었다. 어디에서나 쓰이는 이 용어는 비트코인 포럼에서 한 유저(술에 취했었다고 인정했다)가 실수로 '홀드(hold)'라는 단어의 철자를 잘못 쓰면서 시작되었다. 호들은(HODL)은 점점 더 유명해져서 결국 '필사적으로 버티다', 즉 '비트코인이 아무리 가격이 오르거나 떨어지더라도 절대 팔지 마라'를 의미하게 되었다.

이런 호들의 문제는 비트코인 가격이 80% 이상 떨어졌고, 그 손실을 감내하던 사람들 대부분이 거의 최고점에서 비트코인을 샀다는 사실이다. 다른 많은 암호화폐도 90% 이상 하락했다. 일이 잘 풀릴 때는 "그냥 호들해"라고 말하기는 아주 쉽다. 하지만 이 남자에게 그렇게 말해보라.

이 끔찍한 손실에 어떻게 대처해야 할까요? 말 그대로 1월 꼭지에서 샀어요.

심각한 질문입니다. 최근에 몸이 떨리는 현상이 생겼어요. 지금 이곳은 자정인데, 금방 심한 불안발작으로 깨어나 하마터면 침대에서 떨어질 뻔했어요.
1월에 평생 모은 돈을 거의 모두 암호화폐에 넣었어요. 대학 졸업 후 6년 동안 직장을 다니며 모은 돈으로 8만 달러 가까이 됩니다.
모두가 우리를 보고 얼리어답터라는 식으로 말했고, 난 솔직히 1년 안에 백만장자가 될 거라고 생각했어요.
그런데 돈을 넣고 며칠 만에 25%나 손실이 났어요. 나는 "괜찮아"라고 생각했지요. 그냥 1월에 그렇게 급등이 나온 후에 산 게 어리석었구나 싶었어요.
하지만 이제 남은 게 6,000뿐이에요. 제기랄, 6,000달러밖에 남지 않았다고요.
어떻게 해야 하나요?

출처: Reddit.com

3장에서 이 레딧 사용자의 악몽을 다시 살펴보고 이를 피하는 방법을 알아보겠다.

비록 여러분이 투자금을 모두 잃어도 될 만큼 여유가 있다 하더라도, 경제적으로 뿐만 아니라 감정적으로도 자신을 보호하는 것은 중요하다. 투자금을 대부분 잃는다면 정말 우울해질 테고, 그런 경험은 보통 열성적인 트레이더라도 평생 투자에 흥미를 잃게 한다. 14장에서는 펀치를 피하는 법을 알려주겠지만, 여러분은 타이슨 퓨리[17]의 KO 펀치가 아니라 가끔 날아오는 따끔한 잽을 받아내는 것을 목표로 해야 한다.

우리는 이제 2017년 12월부터 이듬해 4월까지 300억 달러의 비트코인이 비트코인 고래[18]에 의해 신규 투자자들에게 팔렸다는 사실을 안다. 고래는 수백만 달러어치의 비트코인을 소유한 1,000여 명을 가리키는 말이다. 가격이 급락할 때마다 사람들은 고래들이 비트코인을 엄청나게 시장에 내다 버려서 가격을 강제로 하락시켰다고 비난한다. 분석 결과 이런 일이 실제로 2017년 12월 이래 계속 일어났다고 밝혀졌다. 고래들은 마침내 호들를 멈췄고, 잘못된 시기에 호들하기로 결정한 순진한 초보들에게 그들의 비트코인을 떠넘기고 있었다. (죄송합니다, 이제 그만 떠넘길게요.)

1월부터 시장이 언제 회복될지 사람들이 내게 계속해서 물어왔지만, 긴 강세장의 끝은 결코 예상하기 쉽지 않다. 고점에 물려 가격이 회복하기를 기다리는 '위크 핸드[19]'를 모두 털어내는 데는 보통 꽤 시간이 걸린다. 가격이 정말 바닥을 치면 결국

---

16 HODLing, 증시에서 흔히 쓰이는 '존버'와 같은 의미이다.-옮긴이

17 Tyson Fury, 영국 출신 복싱 선수로 세계 헤비급 챔피언을 두 차례 지냈다.-옮긴이

18 '비트코인 고래'는 375억 달러를 보유함으로써 시장의 3분의 1을 통제한다. 「파이낸셜타임스」 2018년 6월 9일, www.ft.contents c4b68aec-6b26-11e8-8cf3-0c230fa67aec

19 weak hand, 투자에 대한 확신이 없어 매도를 고민하며 불안해하는 사람들을 비꼬는 말로 본래 포커 게임 용어이다.-옮긴이

그들 내부분은 포기하고 매도하기 마련이다. 그리고 나서야 시장은 쉽게 팔지 않은 채 가격을 떠받치는 '스트롱 핸드[20]'를 바탕으로 회복을 시작할 수 있다.

이 사이클은 캐나다 경제학자 장 폴 로드리그(Jean-Paul Rodrigue)가 알기 쉽게 설명한다. 그러면 나는 암호화폐를 어디쯤에서 팔았을까? 내가 가장 좋아하는 지점인 '정상으로 복귀' 직후이다. 나는 긴 상승 가격 곡선이 깨질 때 정말 추세가 꺾였는지 기다려 확인될 때까지 기다리기를 좋아한다(혹시 가짜 경고로 드러나고 상승 추세가 재개되는 경우를 대비해서). 추세가 정말로 꺾였는지는, 가격이 반등하지만 신고가를 내지 못하고 다시 하락하기 시작할 때 확인된다. 5장에서 다시 이 필수 차트를 자세히 살펴보겠다.

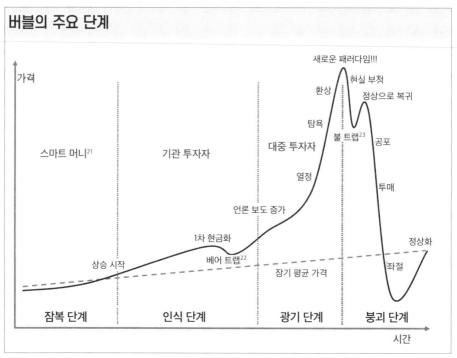

버블의 주요 단계

출처: Dr. Jean-Paul Rodrgrie, Dept of Economics and Geography, Hofstra University

상승 추세가 꺾였을 때 매도함으로써, 나는 엄청난 수익을 챙기고 진득하게 앉아 다음 상승장이 시작되기를 참을성 있게 기다릴 수 있었다. 이게 무슨 도 닦는 소리인가 싶겠지만, 시장에서 최적의 시간에 들어가고 나오는 나의 능력은 길고 고통스런 트레이딩 훈련의 결과이다. 이 책을 읽는 독자는 내가 겪었던 그런 고통을 어느 정도 피할 수 있을 것이다.

나의 트레이딩 교훈은 어렵게 얻은 것이고 여러분 역시 그런 교훈을 얻으려면 쉽지 않을 것이다. 하지만 이 책이 끝날 때쯤이면 여러분은 가장 비싼 실수를 피하는 방법과 가장 큰 기회를 찾아내는 방법을 알게 될 것이다. 여러분은 다른 사람들보다 앞서갈 수 있는 트레이딩 경쟁력을 개발하게 될 것이다. 그러므로 내가 여러분에게 아무것도 가르쳐 주지 않는다고 말하지 않길 바란다.

---

20 strong hand, 금융기관, 헤지펀드 등 풍부한 자금력을 가진 시장의 핵심 세력을 뜻하는 말로 이길 확률이 높을 때 쓰는 포커 게임 용어이다.-이하 옮긴이
21 단기간 고수익을 노리고 투자하는 전문가.
22 bear trap, 하락할 듯 보이지만 상승하는 거짓 신호.
23 bull trap, 상승할 듯 보이지만 하락하는 거짓 신호.

크립토버스

02

"나는 단순한 비즈니스를 좋아한다. 기술이 많이 포함되면 우리는 이해하지 못한다"

- 워런 버핏, 억만장자 투자자, 1996

"우리는 기술주를 피했다… 기술 분야에서 우리가 저지른 최악의 실수는 구글을 놓친 것이다… 우리는 아마존 주식을 한 주도 보유하지 않았다… 아마존을 완전히 놓쳤다… 그 회사가 이렇게 잠재력이 큰지 몰랐다… 나는 기회를 날렸다."

- 워런 버핏, 2017

"암호화폐는 끝이 좋지 않을 것이다… 비트코인은 쥐약을 제곱한 것과 같다"

- 워런 버핏, 2018

사토시, 괴물을 만들다

2009년 1월 본인이 '사토시 나카모토[24]라고 주장하는 익명의 개발자가 세계 최초의 비트코인을 만들었다. 그가 작성한 컴퓨터 코드에는 「런던타임스」의 기사 제목이 들어가 있었다.

　　"「타임스」 2009년 1월 3일 재무장관, 은행에 두 번째 구제금융 제공 임박"

　　이것은 사토시가 자신의 사명을 언급한 문구였다. 그는 전통적인 통화와의 전쟁을 선포하고 있었다. 2008년 세계 금융 위기와 그 여파를 계기로 그는 국가 통화를 정부가 마음대로 무한히 발행할 수 없고 부도덕한 은행가들이 남용할 수 없는 뭔가로 대체되어야 한다는 신념을 갖게 되었다.

　　2009년 모든 사람은 인터넷상에서 구매자가 판매자에게 돈을 송금하는 아이디어에 이미 익숙해져 있었다. 비트코인은 논리적인 다음 단계로, 물리적인 형태가 전혀 없이 컴퓨터 코드로만 존재하는 새로운 유형의 통화였다.

　　그러므로 이 책에서는 '어떤 비트코인'의 사진은 볼 수 없을 것이다(다음 장의 사진 제외). 사실 그런 것은 없기 때문이다. 사진에 보이는 동그란 동전은 실제로 존재하지 않는다. 사토시의 컴퓨터 프로그램은 지폐와 동전, 그리고 모든 종류의 중앙은행 관리를 없앰으로써 국가 간의 신속한 대금 결제와 낮은 거래 수수료를 가능하게 했다.

　　사토시는 비트코인 수량을 2,100만 개로 엄격히 제한되도록 설정해 비트코인이

---

24 Satoshi Nakamoto, 세계 최초 암호화폐인 비트코인과 블록체인 기술을 개발한 사람. 일본식 이름을 쓰고 있지만 실제로 누구인지는 밝혀지지 않았다.-옮긴이

국가 통화처럼 끝없이 발행되거나 평가절하될 가능성을 없앴다.(국가 통화는 요즘의 명목화폐이다. 즉 사람들이 동의하는 가치 이외에 본질적인 가치가 없다.) 새로운 비트코인은 **채굴**이라는 과정을 통해 시스템에 보내질 것이며, 사고팔 수 있으며, 다른 사람에게 전송될 수 있다. 사토시는 첫 번째 비트코인을 채굴했고 그렇게 시스템이 돌아가기 시작했다.

그리고 그는 사라졌다. 사토시는 그 이후로는 소식이 없었지만, 그(그녀일 수도 있다)의 비트코인 지갑 주소에는 여전히 약 100만 개의 비트코인이 고스란히 들어 있다. 2017년 12월 이 비트코인은 19억 달러가 넘어 그는 세계에서 44번째 부자에 올랐다.

2014년 「뉴스위크」는 사토시 나카모토를 찾았다는 선정적인 기사를 내보냈다. 그러나 애꿎은 당사자는 자신이 다른 사람임을 분명히 밝혔고 이 잡지를 고소하려 했다. 이후 자신이 진짜 사토시라고 주장한 다른 사람들이 있었지만 그들의 주장은 모두 거짓으로 드러났다. 앞으로도 분명 그를 사칭하는 이들이 계속 등장하겠지만,

출처 : Pixabay/Creative Commons

수십억 달러의 비트코인이 들어 있는 사토시 지갑주소의 개인키를 갖고 있다고 증명할 수 없다면 아무도 신뢰를 얻지 못할 것이다.

채굴이란

새로운 비트코인을 채굴하려면 복잡한 수학 문제를 푸는 컴퓨터 프로그램을 사용해야 한다. 누구든 처음에 문제를 푼 채굴자는 최근 비트코인 트랜잭션의[25] 새로운 **블록**을 **블록체인**에 추가한다. 블록체인은 지금까지 수행된 모든 비트코인의 구매, 판매, 전송 정보가 담긴 긴 리스트이다. 채굴자는 새로 발행된 비트코인과 거래 수수료로 이런 트랜잭션을 검증한 것에 대해 보상을 받는다.

지금까지 2,100만 개의 비트코인 중 약 1,700만 개가 채굴되었다. 나머지는 다음 세기에 걸쳐 점진적으로 생산될 것이다.

채굴은 점점 더 어려워지도록 설계되었다. 노트북으로 비트코인을 채굴할 수 있던 시대는 이미 지났다. 요즘에는 이렇게 어려워진 채굴 문제를 전기료가 상대적으로 싼 국가에 대규모 서버 팜을[26] 설치해서 해결하지만, 일반인들에게도 여전히 다른 암호화폐를 채굴해 돈을 벌 수 있는 기회가 있다. 고성능 맞춤 PC를 개당 수천 파운드에 구입해 조금 덜 알려진 암호화폐를 채굴하면 어느 정도 이윤(장비 및 전기 비용을 제한 후에)을 기대할 수도 있을 것이다.

---

25 비트코인 거래 정보가 담긴 문자열, 비트코인을 주고 받을 때 생성된다.-이하 옮긴이
26 인터넷 접속용 서버를 대량 갖춘 시설로 전력 소모가 많다.

화폐 권력에 도전하다

그러면 이 비트코인이란 것의 핵심은 대체 무엇일까? 만일 여러분이 온라인으로 물건을 사고 싶다면 이미 페이팔이나 비자, 또는 마스터카드를 사용할 수 있다.

그런데 한 가지 중요한 차이점이 있다. 블록체인 기술을 이용하면 카드사나 은행, 결제업체를 통하지 않고도 A라는 사람이 B라는 사람 혹은 회사에 돈을 보낼 수 있다. 그러면 엄청난 수수료를 떼는 중개인을 배제할 수 있다. 2017년 비자의 매출은 180억 달러, 마스터카드는 125억 달러, 페이팔은 130억 달러, 그리고 아메리칸 익스프레스는 330억 달러였다. 비트코인 아이디어는 전 세계 어디에서나 쓸 수 있는 단일 통화를 가지고, 사람들이 환전이나 다른 수수료 없이 누구든 어느 곳이든 신속하게 돈을 보낼 수 있도록 하는 것이다.

비트코인에는 책임자가 아무도 없는데, 이는 사토시의 컴퓨터 코드가 모든 것을 실행하기 때문이다. 이 코드는 트랜잭션을 네트워크에 보내 검증 하고 블록체인에 영구적으로 추가한다. 그리고 블록체인의 사본은 전 세계의 수많은 컴퓨터에 존재하므로 누가 코어 시스템을 장악하기는 거의 불가능하다. 이는 진정한 분산형 데이터베이스이며 엄청나게 유용한 기술의 진보이다. 중개인을 배제하는 꿈은 우리의 삶을 여러 가지로 변화시킬 현재의 아이디어 및 발명품의 폭발적인 증가에 힘을 실어주고 있다. 그런 변화 중에 어떤 것은 아직 상상조차 할 수 없다.

이미지니어링[27]

앞서 한 내 말이 모호한 미래학의 허황된 소리처럼 들린다는 걸 안다. 그러므로 대신 이렇게 말해보겠다. 나는 암호화폐 콘퍼런스를 돌며 강연을 하는데, 강연 후에 사람들이 내게 와 자신의 암호화폐 프로젝트에 대해 이야기한다. 그들 중 일부는 한심하고 생각이 모자란 이들이지만, 대다수는 꽤 똑똑하고 크라우드펀딩과 벤처 캐피털을 통해 모금된 수백만 파운드를 지원받고 있다.

만일 내가 나이가 많아 초기 인터넷 콘퍼런스에서 아이디어가 폭발적으로 증가하는 것을 목격했다면, 그때도 비슷한 느낌을 받았을 거라고 생각한다. 당시 기득권층과 언론에서 권위 있는 인사들이 인터넷을 이메일의 재미있는 전달자에 지나지 않는다고 주장했지만, 현명한 사람들은 엄청난 가능성을 엿볼 수 있었다.

20년이 지난 지금 우리는 모두가 스마트폰을 가지고 다닌다. 이것 하나면 가정용 데스크톱 PC, 캠코더, 워크맨, 팩스, 지도, 위성 내비게이션, 신문, 명함꽂이, 시스템 다이어리, 손목시계, 게임보이, 손전등, 계산기, 캘린더, 사진 앨범, 백과사전, 사전, 알람시계, 라디오, 메모장, 자동응답기, 스캐너, 그리고 책까지도 상당 부분 대체가 가능하다.

투자자에게는 불행하게도, 이것은 단순히 암호화폐를 잔뜩 사서 언젠가는 다가올 부를 기다리는 문제가 아니다. 새천년에 들어서면서 인터넷 버블이 터지자 유망한 젊은 닷컴 회사들이 대부분 파산했고, 수백만 명의 투자자들은 투자금을 모두 날렸다. 똑같은 일이 대부분의 암호화폐에서도 일어나겠지만, 살아남은 소수는 미

---

27 IMAGINEERING, Image와 Engineering의 합성어, 아이디어의 구체화를 뜻한다.-옮긴이

래의 아마존과 구글이 될 것이다. 그 소수가 바로 여러분이 이 책에서 수익을 얻는 법을 배울 암호화폐들이다.

커져가는 크립토버스

우버와 비슷하지만 수수료로 회사에 20% 정도를 내야 할 필요가 없는 택시 시스템을 상상해보자. 회사 자체가 없다. 단지 앱이 하나 있어서 승객과 운전자를 자동으로 연결하고, 요금을 계산하고, 모든 운행 일지를 수천 대의 컴퓨터에 퍼져 있는 안전한 분산형 데이터베이스에 보관한다. 시스템은 스스로 작동한다. 요금을 지불하는 데 사용하는 암호화폐 토큰은 기계의 윤활유 역할을 하며 모든 것을 원활하게 돌아가게 한다.

이런 토큰은 오직 택시를 타는 용도로만 사용하게 할 수 있다. 우리의 미래는 여러 기능별로 각기 다른 암호화폐가 사용되는 다중 암호화폐 세상이 될 수 있다. 테마파크에서 놀이기구를 탈 때 표를 사는 것과 마찬가지로 택시 요금용 토큰, 보험 계약용 토큰, 주택 거래용 토큰 등을 살 수도 있다. 복잡하게 들리겠지만, 번거로운 모든 토큰 교환은 휴대폰 앱에서 자동으로 처리될 것이다.

그 결과 택시 회사가 없는 택시, 은행가 없는 은행, 변호사 없는 계약, 보험 회사 없는 보험 증서, 그리고 변호사와 은행가들로 가득한 노숙자 쉼터가 생길 것이다.(농담이지만 모르는 일이다.)

이것이 바로 암호화폐의 진짜 잠재력이다. 사람들은 통화 부분에 집착해서 비트코인이 결국 달러를 물리치고 세계의 주요 통화로 자리매김할 것인지에 대해 논쟁하길 좋아하지만, 그런 일이 일어나든 않든 간에 우리가 생각할 수 있는 거의 모든 산업에서 혁명이 계획되고 있다.

암호화폐 트레이더에게 아주 좋은 기회는 세계 최고가 될 앱을 찾아 초기 단계에서 그 코인이나 토큰을 매수하는 것이다. 크립토캡(CryptoCabs)[28]이 전 세계로 진출한다면 많은 사람이 운임을 내기 위해 토큰을 사야 하므로, 그 토큰에 대한 수요가 폭발적으로 증가할 것이다. 크립토캡이 토큰 공급을 (비트코인처럼) 제한하도록 설계된다면, 각 토큰은 수요가 증가함에 따라 점점 더 가치가 높아질 가능성이 크다.

비트코인의 아류, 알트코인

초기의 암호화폐들은 주로 비트코인의 **포크**[29]나 아류였다. (알트코인[30]으로도 불린다.) 개발자들은 비트코인의 원래 컴퓨터 코드를 가지고 더욱 발전시키려 했다.

1. 라이트코인(Litecoin) - 2011년 등장한 라이트코인은 비트코인보다 빠른 트랜잭션 속도를 자랑한다. 2017년 3월 말까지만 해도 4달러도 안 되는 가격에 살 수 있었지만, 9개월 후에는 가격이 거의 100배나 올랐다.

---

28 이 이름은 내가 지어낸 것이지만, 여러분이 도용해서 성공적인 택시 앱을 만든다면, 로열티를 지불하길 바란다!

29 Fork, 암호화폐를 구성하는 블록체인을 분열시켜 변화를 주는 것, 전혀 새로운 암호화폐로 바뀌는 하드포크와 일부분만 변하는 소프트포크로 나뉜다.-이하 옮긴이

30 Altcoin, Alternative Coin의 줄임말, 비트코인의 대안으로 나온 모든 암호화폐를 일컫는다.

2. 대시(Dash) - '디지털 캐시(Digital Cash)'의 줄임말인 대시는 '탈중앙화 자치 조직'이다. 이는 사용자가 투표 시스템을 통해 변경할 수 있다는 의미이다. 2014년 초 출시되었을 때 1,000파운드 상당의 대시를 매수했다면 4년 후에 750만 파운드가 되었을 것이다.

3. 도지코인(Dogecoin) - 만화에 나오는 강아지 로고를 넣은, 장난으로 발행된 코인이다. 2018년 1월 도지코인의 시가총액이 20억 달러에 달하자 비평가들은 웃음을 멈췄다.

2세대 암호화폐, 이더리움

큰돈을 벌 수 있는 다음 기회를 찾고 있다면, 2세대 암호화폐가 가능성이 가장 큰 곳이다. 똑똑한 화폐에서 세계를 변화시키는 기술로의 이 엄청난 도약은 사실 한 똑똑한 소년의 아이디어에서 나왔다. 러시아계 캐나다인 컴퓨터광 비탈릭 부테린은 비트코인이 기존 코드 위에 유용한 앱을 만들 수 있도록 자체 스크립팅 언어가 필요하다고 주장했다. 그는 비트코인 커뮤니티로부터 관심을 받지 못하자 자신이 직접 차세대 암호화폐인 이더리움을 만드는 일에 착수했다.

출처: Romanpoet, Wikipedia Creative Commons

20세가 되어 그는 21세기의 가장 혁명적인 기술 중 하나를 발명한 사람이 되었다. 자, 여기에서 어린 학생들에게 전하고 싶은 메시지가 하나 있다.

"이렇게 생긴 반 친구들에게 못되게 굴지 마라. 이런 친구들이 억만장자가 되면 여러분을 자기 섬에 초대하지 않을 수도 있다.”

이더리움은 ‘세계의 컴퓨터’로 알려져 있으며, 수천 대의 PC에서 자체 언어로 실행되는 분산형 운영 체제이다. 누구나 이더리움을 이용해 자신의 앱[31](디앱이라고 부른다)을 만들 수 있다. 이더리움에서 자신의 앱을 실행하려면 기본 통화인 이더(Either)를 사용해 결제해야 한다.

가장 큰 매력 중 하나는 ‘무신뢰성(trustlesssness)’으로, 이는 시스템이 누구의 통제도 받지 않고 투명하며 강력한 암호화 덕분에 안전하기도 하다는 뜻이다(암호화폐의 ‘암호’ 부분에 해당한다). 예를 들어 선거에서 모든 표를 셀 수 있는 디앱들이 만들어지기도 했다. 누구든 표를 세는 데 사용되는 코드를 볼 수 있어서 부패한 관계자가 고의로 표를 잘못 세는 일은 없을 것이다.

이 글을 쓰는 현재 개발이 진행 중인 몇 가지 흥미로운 디앱은 다음과 같다.

1. 어거(Augur) - “예측의 미래”. 어거는 사람들이 시장을 만들고 어떤 것에든 베팅을 할 수 있게 할 것이다. 처음에는 사람들이 정치 및 스포츠 행사의 결과에 대해 추측할 수 있도록 해주는 벳페어(Betfair)의[32] 저비용 버전처럼 될 것이고, 최종적으로는 이것이 세계의 수조 달러 규모의 금융 파생상품 시장을 대체하리라는 희망을 품고 있다!

2. 골렘(Golem) - “컴퓨팅 파워: 공유”. 골렘은 사람들이 사용하지 않는 처리 능력을 공유할 수 있게 함으로써 세계적인 슈퍼컴퓨터를 만들려고 한다. 아무것도 하지 않고 있는

---

31 DApp(Decentralized Application), 암호화폐 플랫폼에서 작동하는 탈중앙화 분산 앱. 이더리움이 처음으로 디앱을 개발하였다.-이하 옮긴이
32 세계 최대 온라인 베팅 사이트.

모든 PC가 연결되어 사용될 것이며, PC 쭈인들은 골렘 토큰을 보상으로 받게 된다.

3. 이더리스크(Etherisc) - "분산형 보험". 생명 보험과 여행 보험 등이 모두 커뮤니티 단위로 조직되고 이더리움의 '스마트 계약' 기능을 사용하여 집행된다. 보험회사가 개입하지 않아서 대기업에 막대한 수수료를 지불할 필요가 없다.

4. 크립토키티(CryptoKitties) - "디지털 고양이 수집 및 육성". 이것은 확실히 이더리움의 '킬러 앱'으로, 주류가 될 사용처이다. (너무 빈정대는 걸까? 잘 모르겠다.) 암호화폐 시대의 다마고치.

디지털 고양이를 수집하고 키워보세요.
출처: CryptoKitties

기술은 됐고, 이제 돈을 보여줘라

좋다, 이제 여러분은 기본은 알게 됐다. 좋은 소식은 암호화폐로 수익을 내려면 굳이 IT 전문가가 될 필요는 없다는 것이다. 이번 장에서는 무엇이 암호화폐를 작동하게 하는지 알아보았다. 이 기술에 대해서는 책 전반에 걸쳐 이따금 다시 다루겠지만, 그것이 돈을 버는 방법을 이해하는 데 도움이 될 때만 그럴 것이다. 이제 트레이딩 얘기를 해보자.

03

3천 파운드가 10만이 되기까지

내 삶의 최고의 순간

내 삶의 최고의 순간은 언제였을까? 결혼식? 아이들의 출생? 아니다(얘들아, 미안), 2001년 닷컴 시장 붕괴에서 게임플레이(Gameplay)라는 주식으로 내 돈을 모두 날렸을 때이다.

최고의 순간은 고사하고 그게 어떻게 좋은 일일까? 글쎄, 당시 나는 -대부분의 사람이 그렇듯이- '비밀 정보'를 통해 트레이딩의 첫맛을 본 순진한 주린이였다. 친구 하나가 내게 전화를 걸어(그 시절 우리는 사람들에게 주로 전화를 걸어서 소통을 했으므로) 자기가 일하는 회사이 주식을 사야 한다고 말했다. 게임플레이는 새로운 온라인 게임 산업의 최첨단에 있었고 이미 주식 시장의 **미인주**[33]였다. 친구는 내게 그들의 동굴 같은 런던 사무실을 둘러보게 해주었다. 거기에는 유행의 첨단을 걷는 250명의 멋진 젊은이들이 롤러스케이트를 타고, 탁구를 치고, 비디오 게임을 즐기고 있었다. 당시에는 아직 힙스터라는 단어가 생겨나기도 전이었다. 이들은 힙스터였다. 이것은 미래였다. 나는 몹시 충격을 받았다.

나는 친구의 조언에 따라 5,000파운드의 예금으로 첫 주식을 샀고, 주가가 최고 10.80파운드로 치솟는 것을 보았다. 쉬운 돈이었다. 나는 수천 파운드를 벌어들이고 있었다! 주식시장에서 뛰어든 지 5분 만에 나는 이미 트레이딩 천재가 되어있었다. 증거는 분명했다. 나는 금손이었다.

어디선가 들어 본 듯한 이야기 아닌가? 소셜미디어에서 시간을 많이 보내면 초보 트레이더들, 즉 컴퓨터를 조금 알고 몇 가지 암호화폐로 빠르게 수익을 낸 후, 암호화폐 전문가나 암호화폐 신이라 자처하는 젊은 친구들을 만나게 될 것이다. 그런 이들에게 무슨 일이 일어나는지 알고 싶다면 계속 읽어보시라. 왜냐하면 친애하는 독자 여러분, 나도 한때 그런 젊은이였기 때문이다.

어느 화창한 날 친구가 내게 전화했다. 게임플레이 주가가 반 토막 났기에 이때가 헐값에 이 주식을 추가로 매수할 수 있는 정말 좋은 기회라고! 친구가 그렇게 하고 있었으므로 나 역시 그 기회를 놓칠 리가 없었다. 아니나 다를까, 주가가 다시 오르기 시작했다. 몇 주 후 친구는 내게 다시 전화했다. 주식이 훨씬 더 폭락했다···. 그러니까 바닥에서 추가로 매수한다면 우리는 정말 큰 수익을 낼 수 있을 거라고 그가 말했다. 나는 추매했다. 이 시점에서 나는 얼마 안 되는 예금을 거의 모두 넣었지

---

33 시장을 선도하는 우량한 주식을 비유하는 말-옮긴이

만 시장은 아랑곳하지 않았고, 내가 아무리 멈춰달라고 애원해도 주가는 계속해서 떨어지기만 했다. 친구는 걱정하지 말고 닷컴 붕괴(신문에서 그렇게 부르기 시작했다)를 잘 넘겨서 끝까지 버티면 우리 주식이 결국 제대로 높은 평가를 받게 될 거라고 말했다. 나는 그가 옳다고 확신했다.

그러다 그는 직장을 잃었다. 게임플레이는 거의 모든 직원을 해고했다. 그들의 아이디어만큼은 참 훌륭했다 - 거의 20년이 지나 온라인 게임은 이제 거대한 산업이 되었는데, 게임플레이는 그때 출발점에 있었다 - 그러나 아이러니하게도 그들은 너무 앞서갔고 인터넷은 아직 너무나 느렸고 그들은 자금을 너무 빨리 소비하고 있었다. 결국 회사는 매각되었고 나는 주가가 회복할 때까지 버티지 못하고 보유 주식을 팔 수밖에 없었다… 주당 1펜스에. 나는 투자금 5,000파운드를 10파운드로 만드는 데 성공했다.

출처: ICV / Datastream

하지만 이 사건은 내 인생 최고의 선물이었다. 그때의 교훈 덕분에 나는 게임플레이에서 잃은 돈의 수백 배를 더 벌어들였다. 이 책에서 강조하려는 가장 중요한 교훈이 바로 이것이다. **절대 손실이 나는 거래를 버티지 마라.** 절대, 설대, 절대로 그런 거래를 합리화하거나 정당화하려 하지 마라. 무조건 절대 그렇게 하지 마라.

이 단 한 가지 규칙만 지킨다면 트레이딩 성공 가능성을 크게 높일 수 있다. 투자금을 지키는 것이 최우선이며 이는 암호화폐 매매에서도 마찬가지다.

물론 손실이 나는 암호화폐를 다시 올라갈 때까지 버텨서 손실을 만회하고 희열을 느꼈던 일이 몇 번이나 되풀이되는 행운을 겪는 사람도 있다. 하지만 스스로 이렇게 물어봐야 한다. 나는 내가 영리하다고 느끼기 위해 매매하는 것인가, 아니면 돈을 벌기 위해 매매하는 것인가?

이 질문에 대한 답은 매우 중요하다. 만일 전자에 해당한다면, 시세가 회복할 때까지 버텨서 손해를 보고 파는 고통은 너무나 굴욕적이다. 그런 전략은 가끔, 아니 어쩌면 대부분 효과가 있을지도 모른다. 하지만 반대로 여러분이 매수한 암호화폐가 다시 오르지 않고 계속 떨어지고 떨어져 제2의 게임플레이가 될 수도 있다. 이 정도의 손실을 몇 번 보면 대개 다른 암호화폐에서 얻은 수익까지 날리고 자본금이 크게 줄어들어, 향후 괜찮은 수익을 내기가 훨씬 더 어려워질 것이다.

손실 중인 종목을 매도하는 것은 손실을 확정 짓는 고통스런 과정으로, 사랑에 빠진 암호화폐와 관계를 끊는다는 뜻이다. 여러분은 그 종목의 모든 걸 알았고, 그 기술을 사랑했고, 그 종목과 결혼했으므로, 그 종목은 여러분의 연인이다. 하지만 그 종목 때문에 여러분은 돈을 잃고 있다! 이제 그만 잘라내야 한다. 궁극적으로 중요한 건 어느 순간 찾아올지 모르는 다음번 기회에 대비해 나머지 돈을 보존하는 일이다. 만일 여러분이 손실난 암호화폐를 보유한 자금의 대부분 혹은 모두 잃을 때까지 가지고 간다면 게임에서 퇴출당한다. 전투에서 상흔을 입은 미국 트레이닝 참전용사들이 즐겨하는 말처럼, 재도전은 없다.

하지만 팔지 않으면 실제로 손실을 본 건 아니잖아요.

미안하네, 밈 친구. 그렇게 느끼는 건 알지만 착각이야. 암호화폐의 가치가 떨어지면 진짜 돈을 잃는 것이다. 암호화폐는 그것의 현재 통화 가치와 교환할 수 있다. 여러분은 그 금액만큼의 달러(또는 파운드나 유로)를 받고 즉시 암호화폐를 판매할 수 있다.

나는 암호화폐의 통화 가치가 사실 여러분 집의 가격보다 더 '진짜'라고 주장한다. 만일 부동산 중개인이 여러분의 집이 얼마 정도의 '가치'가 있다고 말한대도, 그건 사실이 아닐 수 있다. 그 금액에 집을 팔려고 한다면 여러분은 성공할 수도 있고 아닐 수도 있기 때문이다. 실제로 집을 매가할 때 시장 가격은 부동산 중개인이 말한 가격과 매우 다를 수 있다.

그에 반해서 여러분이 소유하고 있는 암호화폐가 현재 X달러의 가치라고 말한다면, 여러분은 그 금액의 달러에 지금 당장 거의 정확히 판매할 수 있다. 그러므로 암호화폐가 그저 종이 돈이나 화면상의 숫자일 뿐이라고 생각하지 마라. 여러분이 투자하는 돈은 진짜 돈이다. 그러니 절대 손실이 나는 종목을 붙들고 있지 마라. 여러분은 진짜 돈을 잃고 있는 것이다.

존버해야 하나, 말아야 하나

그러나 내가 암호화폐의 밝은 미래를 믿는다면, 그냥 비트코인이나 이더리움을 많이 사서 호들하면 어떨까? 그러면 번거롭게 이 모든 거래를 할 필요도 없을 테니까! 하지만 내가 비트코인이나 다른 암호화폐를 호들하지 않는 데는 몇 가지 그럴만한 이유가 있다.

1. 브랜드가 전부는 아니다

암호화폐의 원조이자 가장 유명한 암호화폐인 비트코인이 세계를 제패하지 못할 수 있다는 말은 어떤 이들에게는 신성모독이다. 내가 콘퍼런스에서 이 가능성에 대해 언급하면 비트코인의 성공에 생계가 걸린 암호화폐 거래소 소유주들은 일제히 탄식을 토해낸다. 하지만 이 세상에 보장된 것은 아무것도 없고 미래는 아무도 예측할 수 없다. 90년대에는 인터넷을 사용하는 거의 모든 사람이 넷스케이프라고 불리는 인터넷 브라우저를 사용했다.

사진에서 볼 수 있듯이 처음부터 넷스케이프에는 우리가 오늘날 당연하다고 생각하는 웹브라우저의 필수 기능이 대부분 있었다.

넷스케이프는 누구나 아는 브랜드였고 시총이 수십억 달러에 달했다. 그야말로 성공이 보장된 확실한 회사였다. 그런데 마이크로소프트의 인터넷 익스플로러 브라우저가 등장하고부터 넷스케이프는 뒤안길로 사라졌다.(이것 역시 후에 구글 크롬에 밀려났다.) 1990년대 중반 90%에 달하던 넷스케이프의 시장 점유율은 10년 후 1%로 하락했다.

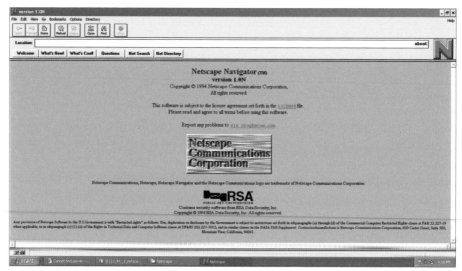

넷스케이프에서 웹 서핑

출처: C. Ford, Wikipedia / Creative Commons

여기서 우리가 얻을 수 있는 교훈이 있다. 유명 브랜드는 가치 있는 것이지만 영원하지는 않다는 사실이다. 노키아를 보라. 블랙베리, 코닥, 블록버스터[34], 토이저러스, 울워스[35] 등은 또 어떤가?

비트코인의 미래가 특히 유망할지는 모르지만 이더리움이나 리플[36], 그리고 아직 발명되지 않은 암호화폐와 같은 경쟁자가 블록체인 왕좌를 차지할지도 모르는 일이다. 그 이유만으로도 나는 내 모든 돈을 넣어두고 호들할 생각이 없다. 리스크가 너무나 크기 때문이다.

2. 버핏의 해자[37]

세계 최고의 부자 투자자인 워런 버핏은 기술적인 측면에서 천재는 아니지만, 성공적으로 매수하고 보유하는 법 한 가지는 분명히 알고 있다. 이 점에서 그는 명실공히 세계 최고이다. 그는 한 회사의 주식을 수십 년 동안 보유하기도 했다. 그는 이렇게 말한다.

"경쟁자들에게 쉬운 비즈니스는 원치 않는다. 나는 주변에 해자가 있고, 그 가운데에 값진 성이 있는 비즈니스를 원한다."

---

34 Blockbuster LLC, 영화나 비디오게임을 대여해주는 미국 회사, 2014년 파산하였다.-이하 옮긴이
35 Woolworths Ltd, 호주 최대 슈퍼마켓 체인점을 운영하는 유통회사.
36 Ripple, 전 세계 은행들이 실시간으로 자금을 송금하기 위해 사용하는 프로토콜 겸 암호화폐. 단위는 XRP를 쓴다.
37 방어를 위해 성 주위에 둘러 판 못.

그의 말은 장기 투자를 할 생각이라면, 그 자산이 사실상 부적이라는 확신이 있어야 한다는 뜻이다. 그런데 이것은 그 회사에 충성하는 고객이 변심해 경쟁사로 옮겨가면 큰 문제나 비용이 발생한다는 의미이기도 하다. 많은 사람들이 현재 비트코인을 얼마간 보유하고 있지만, 실제로 비트코인을 사용하여 물건을 사는 사람은 (아직) 많지 않다. 사람들이 비트코인에서 그 경쟁자 중 한 곳으로 옮겨가는 것은 아주 쉬운 일이다(넷스케이프 사용자가 인터넷 익스플로러로 옮겨간 것처럼). 그러므로 비트코인은 확실한 장기 투자처라고 말하기 어렵다.

이떤 사람들은 이더리움을 호들해야 할 궁극적인 투자처로 생각하는데, 이더리움 플랫폼에서 실행되도록 만들어진 수천 개의 앱이 있다는 이유 때문이다. 하나의 산업 전체가 이더리움의 존속에 의존하고 있는 것이다. 그러면 이것이 버핏이 원하는 해자일까? 글쎄…. 그럴 수도 있다. 그러나 이더리움과 경쟁하는 암호화폐 플랫폼에는 이오스(EOS)가 있고, 새로운 많은 앱이 이더리움이 아니라 이오스에서 실행되도록 설계되었다. 따라서 이더리움의 장기적인 미래 역시 결코 보장되는 것이 아니다.

결론적으로 말하면 모든 주요 암호화폐에는 더 빠르고, 더 안전하고, 더 확장할 수 있다고 위협하는 치열한 경쟁자들이 있으며, 이 신생 산업에는 확실한 것이 없다.

3. 비트코인은 때때로 엄청나게 폭락한다

2011년 비트코인 가격은 93% 하락했고 이전 고점으로 돌아가는 데 약 20개월이 걸렸다. 2013년 비트코인은 91% 하락해 이전 고점까지 오르는 데 3년 이상이 걸렸다.

각각의 폭락은 꼭대기 근처에서 팔고 바닥 근처에서 재매수할 수 있는 기회였다. 몇 년에 한 번 투자금의 90% 이상을 잃는 것은 내 전략이 아니므로 비트코인을 사서 무기한 보유하는 것은 내게 맞지 않는다. 나는 차라리 상승장에서 수익을 챙기고, 끔찍한 하락장은 대부분 거를 것이다.

손실은 반드시 줄여라

성공적인 트레이더들은 대부분 초보 트레이더들이 반드시 따라야 할 철칙을 갖고 있다. 손실이 나는 거래를 아직 소액일 때 청산해서 더 이상의 손해를 막는 것이다. 이 남자 기억나는가?

이 끔찍한 손실에 어떻게 대처해야 할까요? 말 그대로 1월 꼭지에서 샀어요.

심각한 질문입니다. 최근에 몸이 떨리는 현상이 생겼어요. 지금 이곳은 자정인데, 금방 심한 불안발작으로 깨어나 하마터면 침대에서 떨어질 뻔했어요.
1월에 평생 모은 돈을 거의 모두 암호화폐에 넣었어요. 대학 졸업 후 6년 동안 직장을 다니며 모은 돈으로 8만 달러 가까이 됩니다.
모두가 우리를 보고 얼리어답터라는 식으로 말했고, 난 솔직히 1년 안에 백만장자가 될거라고 생각했어요.
그런데 돈을 넣고 며칠 만에 25%나 손실이 났어요. 나는 '괜찮아'라고 생각했지요. 그냥 1월에 그렇게 급등이 나온 후에 산 게 어리석었구나 싶었어요.
하지만 이제 남은 게 6,000뿐이에요.
제기랄, 6,000달러밖에 남지 않았다고요.
어떻게 해야 하나요?

출처: Reddit.com

알고 지내는 젊은 트레이더에게 이 게시물을 보여주자, 그는 이렇게 말했다.

"이 시점에서는 존버하면서 회복하기를 바라야겠죠."

이 불쌍한 남자는 6만 달러 남았을 때, 4만 달러 남았을 때, 그리고 또 얼마 남았을 때에도 정확히 똑은 생각을 했을 것이다. 희망은 두려움만큼이나 여러분 계좌 잔고에 해가 되기도 한다.

만일 여러분이 한 포지션에서 가진 돈의 50%를 잃었다면, 그 돈을 다시 벌어들이기는 굉장히 어렵다. 왜 그럴까? 원금을 회복하려면 100%의 수익이 필요하기 때문이다! (예를 들어 100파운드에서 50파운드를 잃었을 때, 원금 100파운드로 돌아가려면 남은 50파운드를 두 배로 늘려야 한다.)

아직도 승자가 될 경우를 대비해서 패자를 계속 보유해야 한다고 생각하는가? 내 말을 반드시 믿을 필요는 없지만, 내 원칙을 뒷받침할 경험적인 증거는 많다. 예를 들어, 「기술적 트레이딩 규칙의 성과」[38]와 같은 글을 읽어보라. 이 학자들은 13년 동안 가장 인기 있는 트레이딩 전략 몇 개를 철저히 테스트했는데 이런 전략들의 주요 이점은 심금직인 기대를 찾아내는 것이 아니라 손실 거래를 더 빨리 청산하게 하는 것이라고 결론지었다. 이 책의 10장에서 정확히 언제 손절매를 결정할 것인지를 자세히 살펴보겠다.

내 경우에는 비록 게임플레이로 돈을 다 잃었지만, 나는 내 트레이딩의 문제점을 찾았고 실수로부터 배우려 최선을 다했다. 나는 남은 돈 10파운드를 트레이딩에 관한 책을 사는 데 썼고 진짜 트레이딩 공부를 시작했다.[39]

감정 조절의 중요성

"아아아아아아아아악!"

나는 비명을 질렀고 눈물이 볼을 타고 흘렀다.

"그거야! 잘하고 있어!"

"힘내요! 모두 털어버려요!"

교회 강당에서 다른 남자들이 소리쳤다.

내 몸을 그렇게 힘차게 빠져나간 비명은 계속해서 떨어지는 주식, 점점 줄어드는 수익, 그리고 팔자마자 언제 그랬냐는 듯 수직으로 상승하는 시장에 대한 내 좌절감의 원초적인 표현이었다.

"우와아아아악!!! 우와아아아아악!!!"

"그래, 친구, 잘한다!"

더 클랜(THE CLAn)[40]은 아마도 순자산이 세계 최고로 많은 사람들을 위한 감정 지원 단체였을 것이다. 나는 거기에서 가장 젊고 가난한 회원이었다. 이 회원제 모임은 런던 카나리워프의 몇몇 '거물들(big swinging dick)'[41]이 쉬쉬하는 은밀한 집회였다.

---

38 Performance of Technical Trading Rules, 타라와니, 시라프라파시리, 라차마하, 2015. www.ncbi.nlm. nih.gov/pmc/articles/PMC4583561

39 맞다, 실제로는 그 10파운드 지폐로 내 첫 번째 트레이딩 책을 사는 데 쓰지 않았다. 하지만 이것이 영화 각본이라면, 분명 그렇게 했을 것이다.

40 'The Klan'이 아니라 'The Clan'임에 유의하라. 으흠.(인종차별 단체인 KKK단의 Klan이 아니라고 강조하는 뜻-옮긴이)

41 1980년대에 성공한 트레이더들이 종종 자신을 칭하던 표현이다. 마이클 루이스의 고전으로 월가의 회고록인 <라이어스 포커(Liar's Poker)>에서 그는 이렇게 말한다. "그가 그 전화기들로 수백만 달러를 벌 수 있다면, 그는 모든 종 가운데 가장 존경받는 거물, 빅 스윙잉 딕이 되었을 거야…. 모두가 빅 스윙잉 딕이 되고 싶어 했지, 여자도 말이야."

백만장자 은행가들과 트레이더들이 전화기에 내고 소리를 지르고 공중에 주먹을 날리며 힘든 하루를 마치면, 그들은 익명의 교회 강당으로 몰래 가서 그 모든 것이 얼마나 힘든지 울부짖으며 서로의 감정을 다독이곤 했다. 이건 꾸며낸 이야기가 아니라, 사실이다.

트레이딩의 고충 때문에 나는 2000년대 초에 '더 클랜'을 찾았다. 수십 권의 서적과 수백 편의 트레이딩 관련 기사를 읽었고 트레이딩에서 성적을 내는 방법을 안다고 믿었지만, 나는 끊임없이 자신을 방해하고, 내 자신의 규칙을 어기고, 좌절감에 키보드를 내던지고, 수없이 포기하다가 내가 기다리던 절호의 기회를 언제나 놓쳐버리는 것 같았다. 나는 해결책을 찾으려 필사적이었다.

여러분이 이전에 트레이딩을 해본 경험이 있다면 아마도 이런 자멸적 패턴에 대해 알 것이고 어느 순간에 그 때문에 고통을 받았을지도 모른다. 트레이더에게 가장 큰 어려움은 자신의 감정을 이해하고 그것이 하는 말에 귀를 기울이되(감정에는 때때로 도움이 되는 본능적인 경고가 들어있다!), 그 감정이 트레이딩을 지배하도록 허용하지 않는 법을 배우는 것이다.

그래서 나는 인터넷의 한구석에서 더 클랜을 찾았다. 그들은 전 세계의 교회 강당, 모스크 및 사원에서 대여섯 명의 최고 트레이더들로 구성된 소규모 모임을 결성했다. 더 클랜의 첫 번째 규칙은 더 클랜에 대해 누설하지 않는다는 것이다. 그래서 나는 이것을 더 클랜(실제 이름은 더 클랜이 아니다)이라고 부른다. 교회 회당에서 나는 원초적인 비명을 시작하기 전에 나의 좌절감과 그것이 나를 어떤 기분으로 만드는지에 대해 솔직히 털어놓으라는 권유를 받았다.

"이 주식을 갖고 있었는데 오랫동안 수익이 아주 괜찮았기 때문에 내가 가장 좋아하는 주식이었어요. 그런데 주가가 내려가기 시작했고, 수익이 줄어드는 걸 감당

할 수 없었어요. 머릿속에서는 그 수익이 이미 영원히 내 것이었는데, 이제는 서서히 사라져갔고 나는 버틸 수가 없어서, 남은 수익이라도 챙기려고 재빨리 매도 했어요. 그런데 내가 팔자마자 주가가 다시 올라갔어요! 그 어느 때보다 더 높이 말이에요!"

"그래서 기분이 어땠나요, 친구?"

이 사람은 헤지펀드의 '신' 스콧이었다. 사관학교와 하버드, 월스트리트 출신으로 지금 여기 뎁트퍼드 교회 강당에 와 있다.

"나 자신에게 화가 났어요."

"그래요, 그런데 어디에서 그걸 느꼈나요? 당신 몸 어디에서요?"

하치로(국제수학올림피아드 2위, 체스 그랜드마스터, 실패한 트레이더)가 물었다.

"글쎄요, 속이 메스꺼운 느낌이었어요. 그리고 가슴이 벌렁거렸어요."

"좋아요. 이제 그 느낌에, 그리고 가슴에 집중해서 그 느낌을 표현해요. 소리쳐 봐요, 친구!"

그렇게 나와 백만장자 일당은 감정적인 건강과 더 나은 트레이딩을 위해 소리를 질렀다.

내가 저지르던 실수는 게임플레이에서 저지른 실수와는 정반대였지만, 똑같이 충격이 컸다. 이번에는 지나치게 오랫동안 버티는 대신 너무나 빨리 팔아버린 것이다. 주식이든 암호화폐든 가격이 순탄하게 오르는 법은 없다. 그런 일은 절대 없다.

비트코인을 예로 들어보자. 2016년부터 2018년까지의 매끄럽고 예쁜 곡선을 보면 아주 순조로워 보인다(그림1 참조). 이 차트를 보면 누군들 비트코인을 사서 꼭대기까지 들고 가지 못할까?

하지만 차트를 확대해 보면 사정은 아주 달라진다(그림 2).

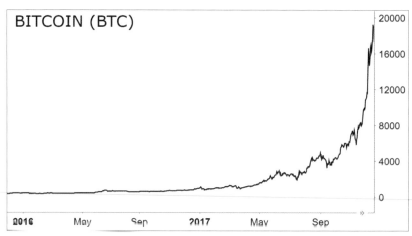

그림1 차트: Trading View

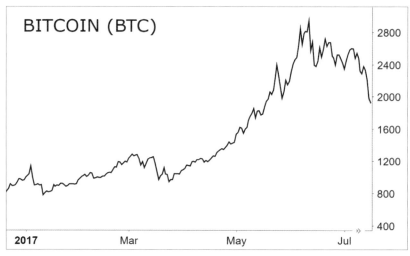

그림2 차트: Trading View

2017년 비트코인은 장기 차트에서는 별것 아니게 보이지만 단기 차트에서는 상당히 무서운 가격 조정[42]을 거쳤다. 6월과 7월 사이에 가격이 30%나 떨어졌다. 이렇게 하락하는 종목을 매도하지 않고 끝까지 지켜보려면 강심장이 필요하다. 하지만 만일 매도했더라면 역대 최고의 거래 하나를 놓쳤을 것이다. 비트코인은 연말까지 10배나 올라 **텐배거**[43]가 되었다.

두 가지 핵심 규칙

이제 두 가지 핵심 규칙이 생겼다.

1. 수익은 늘려라
2. 손실은 줄여라

때때로 이 두 가지 규칙은 서로 모순되어 보인다. 나는 게임플레이에서 주가가 내려갈 때 매도하는 법을 배웠다고 말했는데, 이제 나는 가격이 하락할 때 홀딩하라고 말하고 있다. 대체 어떤 게 맞는 말인가? 답은 둘 다이다. 자, 내 말을 끝까지 들어보기 바란다.

오랫동안 성공적인 트레이더로 살아남을 수 있었던 건 주로 자금 관리를 잘한 덕분이다. 자세한 내용은 11장에서 살펴보겠지만, 여기서 알고 넘어가야 할 것은 **손실을 줄이는 것**은 초기 투자금을 보존하는 일이라는 사실이다.

---

42 correction, 조정은 상승추세에서 일시적으로 하락하는 것을 말한다.
43 ten-bagger, 10배 이상 오른 종목을 뜻하는 주식 용어, 10루타라고도 한다.-옮긴이

수익을 늘리는 것은 '이미' 수익이 나고 있을 때 여러분의 매매에 숨 돌릴 틈을 주는 일이다. 그러면 여러분의 암호화폐가 매수 후 단 3개월 만에 100% 상승했다고 해보자. 여러분은 이 거래에서 100%의 '잠정 수익'을 갖고 있다. 그런데 사람들이 성공적인 거래에서 수익을 실현하기 시작하면서 가격이 30% 이상 하락할 가능성이 있다. 이것은 자연스러운 조정이며 일반적으로 긴 상승 추세 동안 정기적으로 발생한다. 그렇다면 왜 매도하고 수익을 챙기지 않는가? 왜냐하면 큰돈은 큰 추세와 함께할 때 얻어지기 때문이다. 비트코인을 예로 들면, 2년 동안의 상승장에서 비트코인을 단순히 들고만 있었다면 6,000%의 수익을 얻었을 것이다.

진정한 작품은 추세가 주요 상승장의 진짜 끝물이나 폭락의 시초가 아니라 일시적인 조정이라는 것을 알아보는 데서 나온다. 10장에서 그 차이를 구별하는 법을 배워보겠다.

이겼지만 위험했던 승부

더 클랜의 도움으로 나의 매매 실적은 좋아지고 있었지만, 큰 돌파구를 맞이한 해는 2008년이었다. 나는 여전히 ITV 뉴스의 비즈니스 특파원으로 일하고 있었기 때문에 경제는 언제나 내 관심사였다. 트레이딩은 여전히 취미였을 뿐이고 본업을 포기할 만큼 충분히 벌지는 못했다. 그러나 사정은 곧 변했다.

2007년에 우리는 수백만 명의 가난한 미국인들이 갚지도 못할 담보대출을 받도록 권유받은 사실을 알게 되었다. 이 악성 채권들은 은행에 의해 포장되어 세계의 다른 은행에 팔려나갔고, 이로 인해 전 세계 금융시장이 크게 흔들렸다. 마침내 모든 사실이 드러나자, 은행들은 어떤 대출이 비교적 안전하고 어떤 대출이 부실한지 확신이 없었기 때문에 서로 채권을 사들이기를 꺼렸다. 영국의 모기지 대기업인 노던록(Northern Rock)은 이런 국제 대출시장에 의존해 회사를 하루하루 유지해 나갔기 때문에 심각한 곤경에 처했다. 전국의 노던록 지점 앞에는 예금 인출을 요구하는 사람들이 줄지어 서 있는 진풍경이 벌어졌다.

그럼 주식시장은 당연히 붕괴하였을 것이 아닌가? 아니, 주식시장은 상승했다. 두 달 만에 미국 주식 시장은 사상 최고치를 경신했다. 은행 CEO를 인터뷰할 때마다 그들은 모든 게 괜찮고 서브프라임 사태가 문제없이 해결되고 있다고 나를 안심시켰다. 하지만 나는 믿지 않았다. 그들은 나를 안심시키면서도 찔리는 데가 있는 듯이 웃곤 했다 (은행장들이 보통 그렇게 웃기는 하지만). 내가 보기에 이번 위기는 수습이 불가할 만큼 너무 심각했고 더 악화할 수밖에 없었다.

출처: Alex Gunningham, Wikipedia Creative Commons

그렇다면 초보 트레이너는 어떻게 해야 할까? 마이클 루이스는 자신의 유명한 저서 「빅 쇼트(The Big Short)」(영화화되어 할리우드에서 크게 성공했다)에서 다른 트레이더들이 이런 대출이 얼마나 나쁜지 이해하기 전에 부실 담보대출을 **공매도**[44] 함으로써 통념을 거스른 몇 명의 별난 헤지펀드 매니저들에 대한 이야기를 들려준다. 그들은 제대로 움직여 수십억 달러를 벌었지만, 그 과정에서 그들의 판단은 아주 많이 잘못된 것이었다. 왜냐하면 최종적으로 붕괴가 일어나기 전까지 시장이 모든 논리를 거부하며 부실 담보대출의 가치가 오히려 계속 상승했기 때문이다. 그들 중 몇몇은 공매도에서 엄청난 금액을 잃고 있었다.

결국, 그들은 성공했다. 하지만 이 이야기는 수십억 달러를 벌기 직전에 거래를 청산할 수밖에 없어서 비극적으로 모든 걸 잃는 이야기로 쉽게 끝날 수도 있었다. 저명한 경제학자 존 메이너드 케인스는 이렇게 말했다.

"시장은 당신이 파산하기에 충분할 정도로 오랫동안 비이성적으로 유지되기도 한다." 그래서 이 문제를 해결하기 위해 주식시장을 주의 깊게 지켜봤지만, 나는 시장이 실제로 하락하고 있다는 확신이 들기 전까지는 공매도를 시작하지 않았다. 나중에 내가 「타임스」 기사[45]에서 경고까지 하면서 설명했듯이, 이때는 여전히 무서운 시기였다. 미국 시장은 하락하기 시작했고 나는 돈을 벌어들였다. 하지만 시장은 내가 번 수익을 모두 뱉어낼 때까지 다시 상승했다. 그리고 나서 마침내 진짜 붕괴가 시작되었고 나는 정말로 돈을 긁어모았다. 공매도(숏 포지션)는 일반적으로 롱 포지션[46]보다 가격 등락이 훨씬 더 심하기 때문에 어려운 비즈니스다.

---

44 주식, 외환, 상품(곡물 및 원자재)이나 암호화폐가 상승보다는 하락한다는 데 베팅하는 것을 말한다.
45 www.glengoodman.com/times
46 종목을 매수한 후 가격이 오르기를 바라는 경우.

신문의 헤드라인은 '나의 작은 공매도, 나는 어떻게 위험을 무릅쓰고 3,000파운드를 10만 파운드로 만들었나'였다. 이렇게 씨놓으니 3,000을 모두 걸어 10만을 만드는 모험은 꽤 괜찮은 장사처럼 들리지 않는가? 괜찮은 수익과는 별개로, 그 경험 덕분에 나는 트레이딩에서 더 많은 자신감을 갖게 되었고, 트레이딩을 훨씬 더 진지하게 생각하기 시작했으며, TV 기자로 일하는 것보다 트레이딩에서 더 많은 돈을 벌어들이게 되었다. 결국 나는 직장을 그만두었고 절대 뒤돌아보지 않았다.

세 번째 규칙: 추세를 확인하고 매매하라

나는 이미 상승하는 시장에서 매수하고 하락하는 시장에서 매도한다. 트레이더 고수라고 모두가 오르는 종목만을 매수하는 것은 아니다. 많은 종목을 공부하고 어떤 종목이 싸다고 싶으면 가격이 하락하고 있더라도 매수하는 고수도 있다.

이 방법은 상대적으로 경험이 부족한 트레이더에게는 위험하다. 오랫동안 하락 추세에 있는 암호화폐를 매수할 경우, 적어도 한동안은 계속 하락해서 곧바로 손실로 이어질 가능성이 크다. 「빅 쇼트」의 주인공들은 추세에 역행해 투자했다. 즉, 주택담보대출 가격이 여전히 상승 중일 때 공매도를 함으로써 위태로운 포지션을 자초했다.

나는 이미 상승 중인 암호화폐를 사는 것이 더 안전하다고 생각한다. 이 경우 좋은 투자인지 곧바로 알 수 있다(만일 좋은 투자라면 즉시 수익을 줄 테니까!). 어떤 사람들은 이미 올라가는 암호화폐를 사는 것을 심리적으로 매우 어렵게 생각하는데, 완전히 바닥이 아니면 싸지 않다고 느끼기 때문이다. 바닥에서 이미 한참 올라와 있는 암호화폐라도 아직도 싼 가격이 될 수 있다는 점을 인정하는 것이 중요하다. 1,000달러짜리 비트코인은 100달러였을 때와 비교하면 비싸 보이지만, 몇 달 후 2만 달러로 오르면 1,000달러는 너무나도 저렴해 보일 것이다. 모든 것은 자신의 관점에 달려있다.

암호화폐가 상승할 때 사야 하는 가장 강력한 이유는 아마도 확고한 펀더멘털[47]이 부족하기 때문일 것이다. 여기에 대해서는 8장에서 좀 더 자세히 살펴보겠지만, 기본적인 문제는 암호화폐에 근본적인 가치를 부여하기가 매우 어렵다는 것이다. 암호화폐의 정확한 가치는 무엇일까? 주식은 매출과 이익이 있어서 분석가들이 '공정한' 가치를 부여하고 현재 가격이 너무 높거나 너무 낮은지 결정할 수 있지만(그들의 관점에서), 암호화폐는 - 특히 현재의 발전 초기 단계에서는 - 대중의 인기에 따라 크게 좌우된다.

대부분의 암호화폐는 사용자가 많을수록 더 효과적이란 의미의 **네트워크 효과**[48]로부터 커다란 혜택을 받는다. 암호화폐는 많은 사람이 매수하고 사용할수록 현실 세계에서 더 유용하게 쓰이고, 그로 인해 진정한 가치가 더 높아진다. 마찬가지로 사람들이 흥미를 잃고 팔게 되면, 암호화폐는 덜 유용해지고 펀더멘털 측면에서 가치가 떨어진다. 그러므로 암호화폐는 성장의 선순환이나 쇠퇴의 악순환에 갇히기 쉽다. 이런 강한 추세들은 펀더멘털 트레이더에게는 악몽이지만, 추세 트레이더(나와 같은)에게는 선물이다.

---

47 Fundamental, 펀더멘털은 자산의 진정한 가치와 미래 전망을 결정하는 기본적인 정보이다. 회사의 펀더멘털에는 매출, 이익, 자산, 부채 및 현금 흐름이 있다. 국가 통화의 펀더멘털에는 금리, GDP 성장률과 인플레이션이 포함된다.

48 network effect, 다수의 사람이 네트워크를 형성해 다른 사람의 선택에 영향을 주는 경제현상을 뜻한다. 사용자가 많을수록 사람이 더 모여든다는 이론.-옮긴이

49 복리는 자본 이익과 이자를 지속적으로 재투자하는 과정으로, 부를 점점 빠르게 증식시키는데, 매년 최초의 투자금과 더불어 이전 년도에서 축적된 소득으로부터도 이윤을 창출하기 때문이다.

요약: 세 가지 규칙

1. 수익은 늘려라

2. 손실은 줄여라

3. 추세를 매매하라

한동안 트레이딩에 관심이 있었다면 아마도 다음과 같은 광고를 접했을 것이다.

이런 비법 트레이딩 시스템이 약속하는 수익은 항상 거짓이다. 월 170%는 잊어버리고 단순히 연간 평균 100% 수익을 내는 비교적 저전력 '시스템'을 사용한다고 해보자. 1만 파운드로 시작해서 20년 동안 이 시스템을 사용한다면 100억 파운드를 벌게 되어 세계 100대 부자에 오를 것이다. 그렇다면 스나이퍼 시그널즈 시스템을 사용하는 모든 사람들은 어떻게 될까? 그들 역시 100대 억만장자 안에 들어가 있었어야 한다. 이 부분에서 한바탕 크게 웃을 테니 용서 바란다.

사실 자신의 돈을 트레이딩에 투자하는 세계 최고의 부자는 몇 명에 불과하다. 세계 최고의 부자 트레이더인 워런 버핏은 자산이 840억 달러에 달하며 그의 회사는 반세기 동안 매년 20%의 수익을 올렸다. 만일 여러분이 매년 20% 꾸준히 수익을 올리고 수익을 재투자할 수 있다면 여러분도 복리[49]의 마법으로 부자가 될 수 있다.

1만 파운드로 시작해서 매년 20%씩 수익을 내고 10년 동안 급여에서 매년 2,000파운드씩 추가해 투자금을 늘린다고 해보자. 결과는 다음과 같을 것이다.

시작: £10,000

1년: £14,000

2년: £18,800

10년: £113,834

20년: £704,830

30년: £4,364,121

분명히 더 많은 돈으로 시작할수록 수익도 더 커진다. 각 숫자 끝에 0을 추가하면 여러분은 4,000만 파운드를 벌고 은퇴하게 될 것이고 람보르기니를 수백 대 살수 있을 것이다(최종 목표가 람보르기니를 사는 데 모든 돈을 쓰는 것이라면).

진짜 비법은 세상에는 비법이 없다는 것이다! 대부분의 다른 트레이더들이 저지르는 실수를 피해 가는 것이 비법이다. 내가 쓴 세 가지 간단한 원칙이 보이는가? 그 원칙들을 엄격하게 지키면 거래마다 큰 수익을 올릴 것이다.

14장에서는 대부분의 트레이더들이 왜 이런 치명적인 오류를 계속 범하고 왜 그런 실수로부터 전혀 배우지 않는지 좀 더 자세히 살펴보겠다. 이런 자기 파괴적인 습관은 우리의 뇌에 본능적으로 단단히 뿌리박혀 있기 때문에 엘리트 트레이더가 되기 위해서는 의식적으로 잊어버려야 한다. 그래서 이게 전부인가?

물론 아니다. 하지만 여러분은 이제 탄탄한 트레이딩 기초를 배웠다. 이 원칙들은 여러분이 훌륭한 암호화폐 트레이딩 시스템을 구축해 큰 수익을 창출하는 데 도움이 될 것이다. 내가 2017년에 그랬듯이 여러분도 놀라운 수익을 올리는 해가 있겠지만, 지금까지 살펴본 바와 같이 연평균 20%의 수익률만으로도 부유한 엘리트로 올라서기에는 충분할 것이다.

PART

2

돈을 벌자

암호화폐를 사고파는 법

암호화폐 트레이닝은 현재 초기 단계로 트레이딩 플랫폼과 거래소가 끊임없이 발전하고 있으므로 이 책의 일부 정보는 최신 정보와는 다를 수 있다. 하지만 걱정할 필요는 없다. 불완전한 정보로 여러분을 곤경에 빠뜨리는 일은 없을 테니까. 나는 그렇게 불성실한 저자는 아니다. 내 웹사이트 www.glengoodman.com에서 내가 사용하는 트레이딩 플랫폼에 대한 최신 정보를 찾을 수 있을 것이다.[1]

새로운 문물은 여러분이나 나 같은 사람들에게 아주 좋은 일이다. 이 책의 서론에서 설명한 바와 같이 뭔가 아주 희귀한 일이 발생하기 때문이다. 암호화폐에서는 대형 은행과 금융기관들이 뒤처지는 동안 일반인들이(올바른 접근 방식으로) 부자가 되고 있다.

암호화폐는 컴퓨터광들에 의해 개발되었고 이들 중 소수는 부자가 되었다. 그리고 그 소문이 컴퓨터광 커뮤니티를 넘어 촌뜨기를 비롯해 여러 다양한 괴짜들에게 퍼져나갔고 이들 역시 부자가 되었다. 결국, 턱수염을 최신 유행 스타일로 정리한 남성들과 버디 홀리 안경[2]을 쓴 여성들 또한 관심을 갖게 되었다. 그러나 아직 은행가들은 관심이 없다. 그 이유는 대규모 투자자들을 위한 안전한 금융 인프라를 개발하고 통제하는 데 시간이 오래 걸리기 때문이다. 엄청난 액수의 고객 돈을 다루는 은행가들은 그 금융 인프라가 절대로 해킹당하거나 도난당하지 않을 것이라는 확신이 필요하다.

여러분에게 보여드릴 앱과 플랫폼은 거대 기관이 아니라 일반인을 대상으로 제작되었기 때문에 우리에게 유리하다. 이 책을 쓰는 지금까지는.

키와 지갑을 잊지 않도록 조심하라

암호화폐를 거래하기 위해 온라인 플랫폼에 가입할 때는 여러분 계좌로 돈을 입금해야 한다. 파운드, 달러, 유로와 같은 법정통화를 계좌에 직접 입금하려면 종종 많은 수수료를 지불해야 한다. 게다가 세계적인 은행들은 암호화폐 거래소와 거래하기를 항상 두려워해왔기 때문에 대형 거래소들조차도 신용카드와 은행 이체를 영구적으로 받아들이는 데 애를 먹었다.[3] 이런 이유들 때문에 우리 암호화폐 트레이더들은 보통 비트코인 전문 판매자들로부터 비트코인을 자국 통화로 먼저 사는 것을 선호한다. 그런 다음 우리는 그 비트코인을 한 암호화폐 거래소로 이전하여 다

---

1   주의: 만일 당신이 2070년 이후에 이 책을 읽고 있다면, 나는 세상에 없으므로 유감스럽지만 내 웹사이트를 이제는 업데이트할 수 없다. 이런 예견된 상황에 대해 사과드린다.

2   Buddy Holly glasses, 두꺼운 검은색 뿔테 안경.-옮긴이

3   이 상황은 가까운 미래에 바뀔 것 같으므로, 「The Crypto Trader」의 최신판을 읽어보기 바란다. 그리고 2070년 이후에 이 책을 읽는다면, 이 책이 자신을 어떻게 바꾸어 놓았는지 설명하는 마크 저커버그 대통령의 서문이 실린 50주년 기념 골드 에디션을 사기 바란다.

른 암호화폐를 매수할 수 있는 거래 자본으로 사용한다.

웹사이트나 앱을 통해 비트코인을 매수할 때는 그것을 저장할 **가상 지갑**을 만들어야 한다. 가상 지갑을 만들면 **지갑 주소**와 해당 지갑의 잠금을 해제할 **개인키**를 받게 된다. 두 가지 모두 단순히 개인마다 고유한 문자와 숫자로 구성된 긴 문자열일 뿐이다. (지갑 주소는 은행 계좌번호라고 생각하면 된다.) 많은 양의 비트코인을 지갑에 보관하려고 한다면, 비트코인 판매 웹사이트가 여러분에게 설정해준 지갑에 보관하는 건 바람직하지 않다. 그들이 아무리 자기 회사의 보관 시스템이 안전하다고 약속하더라도 여러분은 단순히 회사를 신뢰하는 수밖에 도리가 없다. 하지만 회사가 망하면 어떻게 될까? 회사 CEO가 여러분의 암호화폐를 모두 가지고 세이셸[4]로 도망간다면? 정부가 보상해줄까? 바보 같은 소리다. 여기는 무법의 암호화폐 서부시대와 같은 곳이다. 당신은 고독한 카우보이이고.

다음과 같은 대표 사례가 있다. 캐나다의 비트코인 거래소인 쿼드리가CX(QuadrigaCX)는 2019년 초에 심각한 곤경에 저했다. 설립자인 제럴드 코튼이 갑자기 사망했는데, 그가 관리하는 2억 달러에 달하는 암호화폐의 비밀번호와 복구키는 오직 그만이 접근할 수 있었던 것이다. 이 글을 쓰는 현재에도 수천 명의 사람이 안전한 보관을 위해 쿼드리가CX에 암호화폐를 맡겼지만, 아마 돌려받지 못할 것 같다.

더 안전한 방법은 회사에 개인 지갑을 관리하도록 맡기기보다는 자신의 개인 지갑을 만드는 것이다. 그런 다음 암호를 안전하게 보관하는 방법을 결정하고 아마도 가까운 가족에게 백업 사본을 맡기면 될 것이다. 비트코인 지갑은 종류에 따라 좀 더 안전한 것이 있는데, 각각 보안과 편리함 측면에서 장단점이 있다.

핫 월렛 [5]

핫 월렛은 인터넷에 연결되어 있다. 이 말은 이론적으로는 해킹이 가능하다는 의미이다. 비록 제일 유명한 핫 월렛은 해킹하기가 매우 어렵다고 여겨지지만. 대신 소량의 비트코인만 저장한다면 편의상 위험을 감수할 수도 있겠다. (힌트: 내 경우는 위험을 감수한다.)

가장 오래되고 가장 인기 있는 핫 월렛 중 하나는 마이셀리움(Mycelium) 월렛이다.(이렇게 말한다고 광고비를 받지는 않았지만, 그러길 바라본다.) 무료이므로 구입 방법을 알아보고 기능을 살펴보자. 다른 앱을 사용할 때와 마찬가지로 단순히 스마트폰(아이폰이나 안드로이드)에 설치하기만 하면 된다.

다음 단계는 마이셀리움의 붉은색 "No backup - no Bitcoins!" 경고에서 알 수 있듯

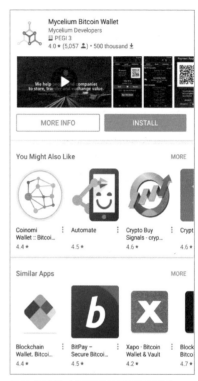

구글 플레이 스토어의 마이셀리움(Myce-lium) 비트코인 지갑 앱

이 여러분 지갑을 백업하는 것이다. 이 백업에서는 (실제로 손 글씨로 필기함으로써) 일련의 암호를 적어 놓고 안전한 곳에 보관하면 된다.

---

4 Seychelles, 인도양의 섬나라로 조세 회피처 및 범죄수익 은닉처로 유명하다.-옮긴이
5 HOT WALLET, 온라인에서 사용할 수 있는 소프트웨어 형식의 암호화폐 지갑.

"백업하지 않으면
비트코인도 없다!"
그러므로 반드시 백업하자.

비트코인 주소의 한 예

비트코인 주소는 왼쪽 스크린샷에 보이는 숫자와 글자로 이루어진 긴 문자열이다. 만일 누군가가 자신의 주소에서 여러분의 주소로 비트코인을 보내려 한다면, 그들의 지갑 앱에 여러분의 주소를 입력하거나 여러분의 QR코드(스크린샷의 정사각형 모양)를 스캔하면 된다.

스크린샷에 있는 내 지갑 주소로 원하는 만큼 비트코인을 보내 마음껏 실험해보라.[6]

마이셀리움은 매우 편리하다. 스마트폰에 설치하면 주소를 이용해 전 세계의 어느 곳이라도 비트코인을 빠르게 주고받을 수 있다, 그러므로 이와 같은 스마트폰 앱 지갑은 일상적인 거래를 위한 좋은 해결책이다.

일단 비트코인을 어떤 주소로 보내면 그 트랜잭션은 취소할 수 없다. 이것은 블록체인의 핵심 보안 기능으로, 상품이나 서비스에 대해 이미 지불된 금액은 도로 빼 갈 수가 없음을 의미한다. 혹시나 사용자가 실수했을 경우에 돌려받으려면, 비트코인을 받은 사람에게 다시 전송해 달라고 간청(혹은 고소)하는 것이 유일한 방법이다.

---

6 애석하지만 여러분이 이 주소로 보내는 비트코인은 돌려보낼 수 없다(그럴 마음도 없고). 하지만 어쨌든 보낸다면 말리진 않겠다.

한편 자기 지갑을 가지고 스스로 비트코인을 관리할 때의 단점은 지갑의 개인키나 암호를 잃어버릴 경우, 전적으로 자신에게 책임이 있다는 점이다. 또 한 번의 기회를 요구할 수 있는 상위의 힘은 없다. 웨일즈 뉴포트의 IT 직원인 제임스 하우얼스에게 물어보라. 그는 자신의 비트코인이 들어 있는 노트북을 실수로 버렸는데, 그 실수는 1억 파운드짜리였다. (비트코인 가격이 최고점일 때의 추정 금액이다.) 내가 최근에 제임스와 통화했을 때, 그는 여전히 지역 의회를 설득해 자신의 노트북을 파내는 데 도움을 받고 싶다고 말했다. 그는 생각보다는 쾌활해 보였다.

 셰어즈 가이
글렌 굿맨, 2017년 12월 5일

웨일즈 출신의 제임스 하우얼스는 비트코인 7,500개를 보관하던 하드디스크 드라이브를 2013년에 실수로 쓰레기통에 버렸다. 현재 시가로 치면 8,000만 달러어치 비트코인이다! 하드디스크는 웨일즈의 대규모 매립지에 깊이 묻혀 있는데, 제임스는 지역 당국에 찾는 데 도움을 준다면 10%를 주겠다고 제안했다. 그러나 당국은 거절했다! 그는 도와주면 800만 달러나 받을 수 있는데 당국이 제정신이 아니라고 말했다.

출처: Facebook / James Howells

콜드 스토리지

마이셀리움은 편리하지만, 보통 스마트폰이 인터넷에 연결되어 있기 때문에 많은 양의 비트코인을 보관하고 싶은 곳은 아니다. 장기 보관을 위한 가장 안전한 방법은 암호화폐를 오프라인(콜드) 지갑으로 전송하는 것이다. 인터넷에 연결되어 있지 않으면 아무도 지갑을 해킹할 수 없다. 프린터가 있다면 공짜로 종이 지갑을 만들 수 있다. 종이 지갑은 내가 방금 Bitcoinpaperwallet.com에서 뚝딱 만들어본 이것과 비슷해 보인 것이다.

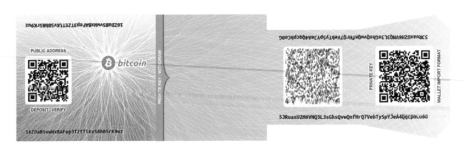

콜드 월렛의 예 - 종이 위에 프린트

종이 지갑에 비트코인 주소와 개인키가 들어 있는 것을 볼 수 있다. 아무도 이 종잇조각을 해킹할 수는 없지만, 불에 타거나, 잃어버리거나, 도둑맞거나 할 수는 있다. 유명한 윙클보스 쌍둥이[7]는 비트코인의 초기 투자자로 2017년에 10억 달러어치가 넘는 비트코인을 소유했다. 그들은 비트코인을 잃어버릴까 봐 너무 걱정한 나머지 그들의 개인키를 인쇄한 종이를 잘게 자른 다음 각각의 조각을 미국의 다른 지역에 있는 별도의 안전 금고에 보관하기로 결정했다. 그래서 어떤 도둑도 개인키를 한

조각 이상 훔칠 수 없었고, 당연히 그들의 지갑을 열려면 키 전체가 필요했다. [8]

영리하긴 하지만 여러분이 억만장자가 아니라면 불편하다. 인기 있는 또 하나의 방법은 지갑을 작은 USB 드라이브에 보관하거나 돈을 조금 들여 특별한 하드웨어 지갑을 만드는 것이다.

현재 시장은 다음 두 가지 제품이 대세이다. **트레저 월렛**(Trezor Wallet)과 **레저 나노 S**(Ledger Nano S).

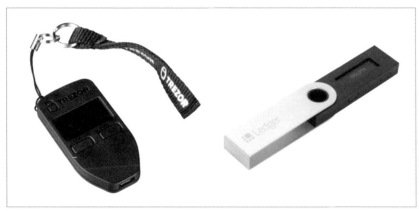

트레저 월렛(왼쪽)과 레저 나노 S(오른쪽)

이 두 제품은 매우 안전하며, 다른 곳에 저장할 수 있는 비밀 암호를 사용하여 백업할 수도 있다. 하지만 물론 항상 가지고 다니지 않는다면, 즉시 비트코인에 접속할 수는 없다.

---

7   캐머런 윙클보스와 타일러 윙클보스 형제는 페이스북을 만드는 그들의 아이디어를 마크 저커버그가 사용했다고 고소한 것으로 유명하다.

8   '윙클보스 쌍둥이는 그들의 막대한 비트코인 재산에서 어떻게 정당성을 찾았는가' 「뉴욕타임스」 2017년 12월 19일 www.nytimes.com/2017/12/19/technology/Bitcoin-winklevoss-twins.html

비트코인 매수 방법

만일 여러분이 비트코인이 세계를 제패하리라는 확신이 들어서 많은 비트코인을 사서 보유하고 싶다면, 가장 간단하고 안전한 방법은 파운드, 유로, 달러 또는 또 다른 주요 법정화폐를 사용해 기존의 온라인 플랫폼에서 직접 매수해서 콜드 월렛에 보관하는 것이다. 대부분의 경우 신원 증명을 위해 자신의 신분증 사진을 판매 사이트나 앱에 올려야 한다. 이 글을 쓰는 현재 가장 인기 있는 비트코인 판매처는 다음과 같다.[9]

1. 코인베이스(www.coinbase.com)는 미국에서 통제되며 대부분의 선진국에서 이용할 수 있다. 웹이나 스마트폰 앱에서 쉽게 사용할 수 있고 신용카드와 직불 카드, 은행 이체를 허용한다. 고급 플랫폼인 **코인베이스 프로**에 가입하면 좀 더 저렴한 가격으로 비트코인을 매매할 수 있다.

2. 로컬비트코인(www.localbitcoins.com)은 전 세계 거의 모든 곳에서 개인 간에 쉽게 사고 팔 수 있는 P2P 서비스이다. 사용자는 에스크로 시스템에 의해 보호된다. 즉, 두 사용자 간에 거래가 시작되면 판매자의 비트코인은 로컬비트코인 사이트가 보관하다가 결제 대금을 안전하게 받은 이후에만 매수자에게 보내진다.

---

9 가장 인기 있는 최신 판매처 목록은 내 웹사이트 www.glengoodman.com에서 확인할 수 있다.

3. 비트스탬프(www.bitstamp.net)는 2011년 유럽에서 설립되었으며, 가장 오래되고 평판이 좋은 비트코인 판매처 중 하나다. 비자와 마스터카드로 결제할 수 있다.

4. 코인마마(www.coinmama.com)는 전 세계 거의 모든 국가에서 영업 중이다. 비자카드, 마스터카드와 직불카드로 결제 가능하다.

    다른 암호화폐도 이들 판매처 중 일부에서 살 수 있지만, 초보 트레이더에게 이 방법은 선택지가 많지 않다는 문제가 있다. 이 글을 쓰는 현재 코인베이스는 다섯 가지 암호화폐(비트코인 포함)만 판매하는 반면, 다음 섹션의 암호화폐 거래소 중 하나에서는 100개가 넘는 암호화폐를 선택할 수 있다. 적극적으로 매매할 때는 다섯 가지 암호화폐에만 한정되는 것이 별로 좋지 않다. 선택지가 많을수록 큰 수익을 안겨주는 작은 암호화폐를 찾을 기회가 많아진다!

    그래서 나는 위에 열거된 것과 같은 판매처에서 파운드로 비트코인을 산 다음, 아래에 나열된 거래소 중 하나로 전송해 다른 암호화폐와 교환한다.

암호화폐 거래소

이 글을 쓰는 현재 가장 인기 있는 거래소들은 신생 업체들로 엄격한 통제가 이루어지지 않으므로 여러분의 돈을 보관하기에 안전한 장소라고는 볼 수 없다. 나는 이런 리스크를 두 가지 주요 방법으로 완화한다.

    첫째, 거래소를 여러 군데 이용한다. 만일 그중 하나가 파산한다면 내 자본의 전부가 아니라 일부만 잃게 될 것이다.

둘째, 거래 자본을 각 거래소에서 정확히 필요한 만큼만 유지하려 노력한다. 그리고 남는 암호화폐가 있으면 안전한 지갑에 넣어두거나 파운드로 환전한다.

나는 가장 인기 있고 규모가 제일 큰 거래소에서 매매하기를 선호하는데, 그런 거래소가 유동성[10]이 많기 때문이다. 유동성이 많을수록 시장은 호가 스프레드[11]가 훨씬 촘촘해지고, 따라서 전체 트레이딩 비용이 크게 줄어든다. 트레이딩을 시작할 준비가 되면 반드시 내 웹사이트(www.glengoodman.com)에서 가장 큰 거래소들이 어디인지를 확인해보라. 이 글을 쓰는 현재 상위 거래소 몇 군데를 살펴보자.

바이낸스(Binance)

중국에서 설립된 바이낸스(www.binance.com)는 세계 최대 규모의 암호화폐 거래소이며 다양한 암호화폐를 매매할 수 있다. 바이낸스는 현재 유럽에도 법인을 두고 있다. 수수료가 다른 유명 거래소들 보다 상대적으로 저렴하다.

가장 인기 있는 암호화폐는 유동성이 높기 때문에 호가 스프레드가 비교적 촘촘하다. 예를 들어 바이낸스에서 비트코인을 개당 7,000달러에 매수한다면, 아마도 그 금액에서 1~2달러 정도만 가격을 낮춰도 즉시 매도할 수 있을 것이다. 하지만 유동성이 낮은 거래소에서는 이 호가 스프레드가 100달러나 된다. 만일 비트코인 한 개를 7,000달러에 산다면, 6,900달러까지 낮춰야 다시 팔 수 있기 때문에 즉시 100달러의 손실이 발생한다. 특히 매매를 자주 하는 경우에는 호가 스프레드가 수익에 큰 영향을 줄 수 있다.

---

10 유동성은 시장에 투입되는 매수 및 매도 수량으로 '기어에 쓰이는 오일양'과 같은 역할을 한다.
11 호가 스프레드는 매수호가와 매도호가 사이의 차이로, 촘촘할수록 좋다.

바이낸스의 거래 화면은 기본형과 고급형 두 가지로 나오지만, 실질적인 차이는 별로 없다. 기본형은 다음과 같이 깔끔하게 잘 정리되어 있다.

고급 온라인 트레이딩에 대해 잘 모르더라도, 화면에 나타나는 모든 것들에 겁 먹을 필요는 없다. 이와 같은 거래 화면의 모든 중요한 기능에 대한 설명을 듣고 나면, 브라우저를 켜는 순간 나타나는 반짝이는 수천 개의 숫자가 아주 평범하게 느껴질 것이다.

바이낸스 거래 화면 기본형
출처: Binance.com

코인베이스 프로(Coinbase Pro)

코인베이스 프로는 인기 있는 코인베이스 플랫폼의 고급 버전이다. 미국에 본사를 두고 있으며 관리가 잘 이루어지고(적어도 대부분의 다른 암호화폐 거래소와 비교했을 때) 수백만 명의 사용자를 보유하고 있다. 이 글을 쓰는 현재 매매 가능한 암호화폐가 아직 몇 개에 불과하지만, 시간이 지나면서 늘어날 것으로 보인다.

크리켄(Kraken)

2011년 설립된 크라켄은 가장 크고 오래된 암호화폐 거래소 중 하나이다. 사이버 보안회사인 Group-IB의 보고서에 따르면 해커들로부터 가장 안전한 거래소로도

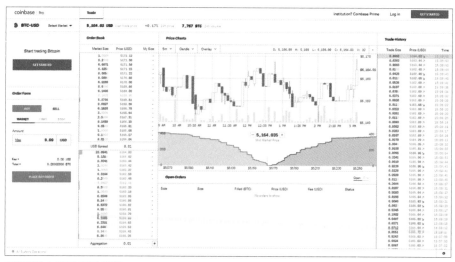

코인베이스 프로 거래 화면
출처: pro.coinbase.com

꼽힌다. 크라켄의 본사는 미국에 자리 잡고 있으며, 매매할 암호화폐를 합리적으로 선택할 수 있고, 일부 암호화폐는 레버리지 거래도 허용하는 몇 안 되는 거래소 중 하나이다.

마진 거래라고도 하는 레버리지 거래는 자기 자본이 허용하는 금액보다 더 큰 거래를 하기 위해 돈을 빌리는 것을 의미한다. 더 큰 수익을 낼 수도 있지만, 전문가가 아닌 경우 빠르게 큰 손실로 이어질 수 있다.

나는 2017년 암호화폐 붐이 일었을 때 레버리지 거래를 많이 활용했다. 내 실제 거래 금액의 몇 퍼센트만 거래소에 맡기고, 나머지 큰 금액은 빌려서 매매할 수 있었다. 이는 거래소가 망하게 되더라도 내가 잃게 될, 거래소에 들어가 있는 내 진짜 돈은 많지 않을 거란 뜻이었다.

크라켄 프로 트레이딩 화면
출처: Kraken.com

트레이딩 화면 이해하기

트레이딩 화면에는 여러 섹션이 있으므로 섹션 별로 살펴보겠다. 여기서는 크라켄을 예로 사용한다. 트레이딩 용어를 잘 모른다면 이 파트에서 전문 용어를 조금 배워 두는 것이 좋다. 분량이 많지 않으니 시간을 내서 주의 깊게 읽어보고 확실히 이해하고 넘어가야 한다. 실제로 지금 이 내용을 이해하고 나면 나중에는 덜 번거로울 것이다.

가격 차트(Price chart)

차트는 화면에서 원하는 만큼의 크기로 설정할 수 있다. 기본 도구를 사용해서 차트에 선과 메모를 추가할 수 있으며 여러 가지 지표도 사용할 수 있다. (7장에서 거래 차트의 기능에 대해 더 자세히 살펴보겠다.) 크라켄 거래 화면에서 내가 추가한 유일한 지표는 **거래량**(volume)으로 차트 하단에서 볼 수 있다. 막대는 각각의 기간 동안 발생하는 모든 거래의 총액을 나타낸다.(막대 길이가 길수록 매수와 매도가 더 많이 발생한다는 의미이다.)

시장(Markets)

화면 왼쪽 상단의 **시장**을 클릭하면 매매할 수 있는 모든 암호화폐 리스트가 표시된다. 암호화폐는 다음 스크린샷에서 볼 수 있듯이 세 글자 코드로 나타난다.

Asset	Pair	Price
Ƀ Bitcoin	BTC USD	5172.500000
Ł Litecoin	LTC USD	68.500000
♦ Ethereum	ETH USD	154.540000
♦ Ethereum Classic	ETC USD	5.445000
⟟ Gnosis	GNO USD	15.010000
⬡ EOS	EOS USD	4.561100
⬡ Augur	REP USD	21.174000
ⓩ Zcash	ZEC USD	59.570000
⋈ Monero	XMR USD	60.800000
✪ Stellar	XLM USD	0.096962
✖ Ripple	XRP USD	0.291930
Ɗ Dash	DASH USD	107.596000
₮ Tether	USDT USD	0.976000
⬚ Bitcoin Cash	BCH USD	258.300000
✦ Cardano	ADA USD	0.068096
⬡ Qtum	QTUM USD	2.332860
꩜ Tezos	XTZ USD	1.193100
₿ BitcoinSV	BSV USD	52.900000
✦ Cosmos	ATOM USD	4.472000

마켓
출처: Kraken.com

가격은 모두 미국 달러이다. 암호화폐는 종목과 통화를 하나의 페어로 묶어 표시된다. 예를 들어 BTC/USD는 비트코인의 달러 가격이고, LTC/USD는 라이트코인의 달러 가격이다.

BTC가 달러보다 파운드나 유로에 대해 더 극적으로 움직일 가능성이 높다고 생각한다면 BTC/GBP나 BTC/EUR을 매매할 수도 있다. 모험을 좋아한다면 이더리움 대 비트코인을 뜻하는 ETH/BTC와 같은 다른 페어를 매매할 수도 있다. 이 페어를 매수하면 이더리움 가격이 비트코인 가격보다 더 빨리 상승(또는 더 천천히 하락)한다는 데 베팅하게 된다. 암호화폐 페어를 매매하면 각 암호화폐의 상대적인 움직임에 베팅할 수 있다.

'비트코인'을 클릭하면 차트창에 BTC/USD를 표시할 수 있으며, BTC/USD는 화면 오른쪽의 주문창(Trading form)에 표시된다.

주문창(Trading form)

주문창은 새로운 거래를 개설하기 위해 주문을 내는 곳이다.

주문창
출처: Kraken.com

매수 또는 매도하려는 암호화폐의 금액을 입력한다. 드롭다운 메뉴는 '시장(Market)'으로 설정되어 있어서 '매수(Buy)'를 클릭하면 '수량(Amount)' 칸에 입력한 만큼의 BTC를 현재 시장가로 즉시 살 수 있다. 이 예에서는 비트코인을 0.5개 매수한다. '자금(Fund)' 칸에 매수하기에 충분한 법정통화가 있는지 확인해야 한다. 여기서 1BTC의 가격은 5,189.30달러이므로 0.5BTC를 살 수 있는 자금이 충분하다.

레버리지가 '**없음**(None)'으로 설정되어 있다면, 단순히 보유한 달러의 일부를 비트코인과 교환하게 된다. 반대로 이미 보유하고 있는 비트코인을 달러로 바꾸고 싶다면 '매수(Buy)' 버튼 대신 거래 창에 있는 '매도(Sell)' 버튼을 클릭하면 된다.

레버리지를 2배 이상으로 설정하면 빌린 돈을 사용해 기존 자금의 2배, 3배, 4배 또는 5배 금액의 포지션을 오픈할 수 있다. 이렇게 하면 자금이 0.5비트코인에 해당하는 금액밖에 없다고 할지라도 2.5비트코인까지 살 수 있다. 하지만 물론 빌린 돈은 언젠가 갚아야 하므로 이것은 영구적인 매수가 아니다. 그러므로 이 거래는 **포지션** 창에 오픈 포지션으로 등록된다. 이 거래에서는 BTC 가격이 올라 나중에 이 포지션을 청산할 때 빌린 전체 2.5 BTC에 대한 수익을 내가 차지하기를 기대하는 것이다. 이런 게 바로 트레이딩이다.

드롭다운 메뉴에는 '시장' 이외에도 몇 가지 다른 종류의 주문이 있다. 여러분이 이해해야 할 기본 유형은 '역지정가(Stop)' 주문과 '지정가(Limit)' 주문이다.

역지정가 주문은 BTC를 현재 시세보다 높은 가격에 매수하는 주문이다. '가격(Price)' 칸에 매수하려는 가격을, 그리고 '수량' 칸에 수량을 지정한다. 이 주문은 시세가 해당 수준까지 올라가야 체결된다. 대신 이 주문은 '주문(Oders)' 탭(몇 쪽 뒤의 전체 거래 화면 참조) 안에 남아 있게 되며 미체결 주문은 언제든지 취소할 수 있다.

지정가 주문(limit order)은 BTC를 현재 시세보다 낮은 가격에 매수하는 주문이다. 이번 역시 매수하려는 가격을 지정하면 시세가 지정가 수준까지 떨어져야 주문이 체결된다.

공매도를 할 경우에는 위의 설명과는 반대라는 점을 기억하라. 따라서 현재 시세보다 더 낮은 가격에 공매도하려면 역지정가 주문을 내고, 현재 시세보다 더 높은 가격에 공매도하려면 지정가 주문을 낸다. 이해가 되었나? 훌륭하다. 이제 여러분은 진정한 트레이더이다!

포지션(Positions)

'포지션' 탭을 열면 현재 체결된 거래가 모두 표시된다. 아래 예에서는 개당 BTC 가격 $5,186.70에 매수한 0.5 BTC의 롱 포지션을 볼 수 있다.(총 매수 비용은 0.5 × 5186.7 = $2,593.35이다.)

Orders	Trades		Positions
Side	Amount	Price	P/L
Long	0.5000000	5186.7	+0.01%

포지션 탭
출처: Kraken.com

P/L 아래에 내가 방금 거래를 체결한 포지션에 0.01%의 잠정 수익이 있음을 볼 수 있다. 레버리지를 이용해 포지션을 오픈한 것이므로, 청산하기 전까지 매일 빌린 돈에 대한 소액의 이자를 지불해야 한다. 포지션을 클릭하면 청산후 빌린 돈을 갚는 옵션 창이 나타난다. 벌어들인 수익(또는 손실)은 '지금(funds)'에 추가된다.

호가창(Order book)

호가창에는 미체결된 모든 비트코인의 지정가 주문이 표시된다. 크라켄 상의 어떤 트레이더가 지정가 주문을 내면 다른 누군가의 주문이 그 지정가 주문과 일치하여 한 사람이 다른 사람에게 매수할 때까지 공동 호가창에 남아 있게 된다. 다음 스크린샷의 예에서 누군가가 BTC를 5,184.9달러에 매수 하겠다고 지정가 주문을 내면, 이 주문은 호가창 아래쪽 반쪽에 표시된다. 그리고 누군가가 BTC를 5,185.6달러에 매도 하겠다고 지정가 주문을 내면, 호가창 위쪽 반쪽에 표시된다.

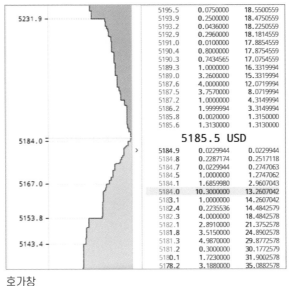

호가창
출처: Kraken.com

여러분이 볼 수 있는 다른 모든 가격은 **현재가보다 높거나 낮게 매도 및 매수 주문을 낸 지정가 주문을 나타낸다.** 누군가가 비트코인을 즉시 구매하기 위해 시장가로 매수 주문을 내려고 한다면 5,185.6달러에 지정가 주문을 낸 사람과 연결되는데, 그 가격이 누군가가 현재 팔고자 하는 최저 가격이기 때문이다.

5,184.90달러와 5,185.60달러가 매수 및 매도 가능한 가장 좋은 가격이기 때문에, 이 두 가격이 비트코인의 주요 견적가로 간주되며 각각 **매수호가**와 **매도호가**라고 한다. 앞서 언급했듯이 두 가격 사이의 차이가 **호가 스프레드**이다. 크라켄은 이용자가 많아 유동성도 높기 때문에 모든 트레이더 사이의 경쟁은 최적의 매수호가와 매도호가를 점점 더 가깝게 밀어붙이는 경향이 있고 그만큼 호가 스프레드는 좁혀진다. 그림에서 호가 스프레드는 1달러도 되지 않는다. 다시 한번 강조하지만, 호가 스프레드가 크면 거래 비용이 많이 늘어날 수 있으므로 매우 중요하게 살펴봐야 한다.

가운데 열의 숫자들을 보면 호가창의 심도를 알 수 있다. 이 숫자들은 각각의 가격 수준에 들어온 모든 지정가 주문의 총 규모를 보여준다. (누적 합계는 오른쪽 열에 표시되고, 차트의 왼쪽에서 그래프로 표시된다.) 예를 들어 가격이 5,184.0달러로 떨어지면 총 10.3비트코인을 매수한다는 주문을 넣었다고 해보자. 만일 그 가격까지 떨어지지 않는다면(판매자에게 더 좋은 가격이 있기 때문에) 그 주문은 트레이더가 취소하기 전까지 호가창에 계속 표시된다.

수수료

현재 크라켄은 대부분의 트레이더에게 지정가 주문에 대해 포지션 금액의 0.16%의 수수료를 부과한다. 그리고 시장가 주문이나 역지정가 주문에 대해서는 거래금액의 0.26%를 부과한다. 이것은 지정가 주문이 호가창에 유동성을 더해주기 때문에 더 저렴한 수수료를 부과해 지정가 주문을 권장하는 것이다. 시장가 주문이나 역지정가 주문은 호가창에 있는 지정가 주문과 연결되기 때문에 유동성을 줄이며, 일단 체결이 되면 해당 지정가 주문은 호가창에서 제거된다.

또한 앞서 언급했듯이, '마진 거래'의 경우 거래소를 통해 대부분의 거래 금액을 빌리게 된다. 이런 경우 이자가 발생하므로 사이트의 **지원**(Support) 섹션에서 항상 현재 이율을 확인해야 한다.

스프레드 베팅

여러분이 나처럼 영국에 살고 있다면 모든 거래 수익에 대해 완전한 비과세 혜택을 주는 베팅 플랫폼을 이용하는 행운을 누릴 것이다!

이런 플랫폼 중 대다수는 주요 암호화폐의 가격에 베팅할 수 있게 해준다. 실제로 암호화폐 자체를 사고파는 것이 아니라 단지 암호화폐의 가격 변동에 베팅하는 것이지만, 실질적인 관점에서 보면 그 과정은 매우 유사하다. 플랫폼은 실제 암호화폐 거래소와 매우 유사하게 보이며, 거래 방식도 거의 같다. 다만 모든 수익에 세금이 없을 뿐!

스프레드 베팅 플랫폼에서 선택할 수 있는 암호화폐 종류는 아직 매우 적지만, 몇 가지 큰 이점이 있어서 최근 몇 년 동안 나는 비트코인 거래하는 데 이 플랫폼을 많이 이용했다. 완전히 비과세라는 점 외에도(내가 이미 얘기했나?) 이 플랫폼은 영국에서 규제를 받기 때문에 여러분의 돈이 어느 정도 보호된다. 고객의 돈은 회사 자체의 자금과 분리되어 별도의 은행 계좌에 보관되므로 회사가 재정적으로 어려움에 처하더라도 고객의 돈은 - 이론적으로 - 영향을 받지 않는다. 혹시나 스프레드 베팅

회사가 파산하기 전에 모든 고객의 돈을 훔쳤다면, 영국 투자자들은 예금자 보호 제도에 따라 최대 5만 파운드를 보상받을 수 있다.

이 글을 쓰는 현재, 비트코인과 다른 암호화폐에 제공되는 스프레드는 크라켄과 같은 암호화폐 거래소의 스프레드보다 훨씬 폭이 넓으므로 매수와 매도 가격 사이의 스프레드가 크다는 측면에서 각 거래에 대해 큰 선불 프리미엄을 지불하는 셈이다. 반면에 스프레드 베팅에 대한 거래 수수료는 없는 경우가 많다.(크라켄, 바이낸스, 그리고 다른 국제 거래소는 대부분 수수료를 부과한다.)

스프레드 베팅 거래에는 보통 레버리지가 사용되므로 암호화폐에 롱 포지션을 취하는 데 빌리는 대부분의 돈에 대해 이자를 지불해야 한다. 이자율은 은행 기준 금리보다 약 2.5~3% 높은 편이다. 이 글을 쓰는 현재 기준 금리는 0.7%이므로 레버리지 베팅은 보통 약 3.25%의 연 금리가 부과된다. 비트코인에 레버리지 베팅을 하고 3개월 동안 보유하는 경우, 대출금에 대해 3.25 ÷ 4 = 0.8125%의 이자를 지불하게 된다. 레버리지 거래와 마진 거래는 아주 소액이 아닌 이상 큰돈이 순식간에 들어오거나 나갈 수 있기 때문에 일반 트레이딩보다 올바른 판단을 하기가 어렵다는 점을 명심해야 한다.

이 책에서는 여러 플랫폼을 개별적으로 다루지는 않겠다. 그들의 암호화폐 상품 리스트가 너무 빠르게 바뀌어 내 설명이 얼마 지나지 않아 유효하지 않을 수 있기 때문이다. 대신 내 웹사이트(www.glengoodman.com)에서 스프레드 베팅 플랫폼에 대한 최신 리뷰를 올려 놓겠다.

요약

단순히 암호화폐 몇 종류를 매수해서 장기투자로 보유하고 싶다면, 코인베이스와 같은 복잡하지 않은 사이트에서 매수해서 안전한 오프라인 콜드 월렛에 보관하면 된다.

하지만 나는 주식을 살 때 수익성을 최대한 높이기 위해 수천 개까지는 아니더라도 수백 개의 선택지를 갖기를 원한다. "애플, 테스코, HSBC 또는 BP[12]중에서 살 수 있어요. 골라보세요"라고 말하는 주식 중개인이라면 나는 이용하지 않을 것이다. 마찬가지로, 나는 암호화폐를 수백 개는 아니더라도 수십 개 중에서 선택하기를 원한다. 그렇게 하려면…:

1. 판매 사이트나 앱에서 비트코인을 구입한다.
2. 여분의 비트코인을 보관할 무료 핫 월렛을 만든다.
3. 비트코인을 암호화폐 거래소로 전송한다.

됐다! 이제 여러분은 거래할 준비가 끝났다.

---

12 British Petroleum, 영국 최대 석유 및 에너지 기업.-옮긴이

나의 돈벌이 전략

"어디에나 항상 잘못된 일을 하는 평범한 바보가 있기 마련이지만, 월가에도 항상 거래해야 한다고 생각하는 바보가 있다."

- 전설적인 트레이더 제시 리버모어

데이 트레이딩은 질 수밖에 없다

직업이 뭐냐는 물음에 트레이더라고 대답하면, 사람들은 어김없이 "데이 트레이더세요?"라고 되묻는다. 내가 "아뇨, 빌어먹을 데이 트레이더는 아니에요!"라고 대답하면, 그들은 왠지 언짢은 기색을 보인다.

데이 트레이더는 보통 하루에 여러 번씩 당일치기 매매를 하고 다음날까지 포지션을 가져가지 않는다. 데이 트레이딩은 어리석은 짓이며, 이는 공식적으로 확인된 사실이다. 2010년 UCLA의 교수 몇 명이 실시한 광범위한 연구에서 그들은 표본에서 수십만 명의 데이 트레이더 중 95%가 돈을 잃고 있다는 것을 알아냈다. 그렇다면 열심히 연습하면 성공하는 5%의 투자자가 될 수 있을까? 아니다, 그들은 또한 손실 경험이 많은 투자자들이 계속해서 돈을 잃는 것도 발견했다. 그리고 그들은 이렇게 결론을 내렸다. 예비 데이 트레이더에게 '배우기 위한 트레이딩'은 룰렛 게임을 배우는 것만큼이나 비합리적이고 해롭다.

이 연구가 나온 후에도, 상황은 데이 트레이더에게 훨씬 더 불리해졌다. 초당 수천 번 사고팔 수 있는 컴퓨터가 실행하는 초단타 매매(HFT)가 등장했다. 트레이딩 회사들은 거래소에 초고속으로 접속하기 위해 수백만 달러를 지불한다. 때문에 그들은 일반 데이 트레이더보다 몇 분의 1초 앞서 최신 가격을 볼 수 있어서 이 초경쟁 게임에서 결정적으로 유리한 위치에 서게 되었다.

위에서 인용한 제시 리버모어는 온종일 시장을 들락거림으로써 세계 굴지의 부자가 된 것이 아니다. 그는 지켜보고 인내심을 갖고 기다렸다가 적절한 순간에 행동했다. 그리고 일단 어떤 포지션을 취하면 수익을 내기 위해 몇 주, 몇 달, 혹은 더 오랫동안 기다렸다.

데이 트레이딩은 비용이 빠르게 늘어난다는 점에서도 승산 없는 게임이다. 거래에 진입할 때마다 수수료를 내야 한다. 일반적인 거래소의 경우 수수료가 0.02% 정도이므로, 거래 금액이 5,000달러라면 수수료는 10달러가 된다. 하루에 한 번 매매한다면 별것 아니지만, 하루에 50번 매매한다면 500달러이다. 그리고 1년에 200일을 매매할 경우 수수료로 10만 달러를 내야 한다. 그러면서도 데이 트레이더들은 왜 수익을 못 내는지 의아해한다!

데이 트레이딩의 단점은 그것뿐이 아니다. 호가 스프레드도 문제다. 데이 트레이더들은 빠르게 거래에 들어갔다 빠져나오길 원하기 때문에 비교적 적은 가격 변동에서 수익을 내기 위해 매우 큰 금액을 베팅한다. 데이 트레이더가 매수 호가와 매도 호가가 각각 5,999달러와 6,000달러인 비트코인을 보고 있다고 가정해보자. 그는 비트코인이 오를 것으로 생각하고 6,000달러의 호가에 비트코인 1,000개를 매수한다. 그러면 매수하는 순간 그는 이 거래에서 이미 1,000달러를 잃었다(1,000 × 호가 스프레드 1달러). 비트코인은 그 후 가격이 3달러 오르고 그는 보유한 비트코인 1,000개를 매수 호가 6,002달러에 재빠르게 매도한다. 그는 2,000달러의 수익을 냈지만 1달러의 호가 스프레드로 인해 1,000달러의 잠재 수익을 잃었다. 그가 매매에서 따기도 하고 잃기도 하는 전형적인 데이 트레이더라고 한다면, 그런 호가 스프레드 '세금'은 크게 누적되어 수익률을 축낼 것이다. 어떠한 매매 경쟁력이 있다 하더라도 아마도 이런 비용 때문에 그 빛을 잃을 것이다.

한편, 나 같은 장기투자 트레이더는 비트코인이 앞으로 몇 주 안에 오르리라 생각하고 개당 6,000달러에 비트코인 10개를 삼으로써 호가 스프레드로 10달러를 낸다. 3주 후 비트코인 가격은 6,200달러가 된다. 나는 비트코인을 팔고 - 데이 트레이더의 사례와 똑같이 - 2,000달러의 수익을 냈지만, 데이 트레이더와는 달리 호가 스프레드에 1,000달러가 아닌 10달러만 지불했다. 이 경우 두 접근 방식에는 시간이 지남에 따라 상대적 수익률에서 큰 차이가 생긴다. 간단히 말해 긴 안목으로 보는 것이 수익률이 더 높다.(그리고 일반적으로 스트레스가 훨씬 적다.)

추세는 여러분의 친구다, 꺾이기 전까지는

1장에서 나온 이 그림을 기억하는가? 그림은 호황과 불황 사이의 전형적인 사이클을 보여준다. 인간의 감정은 해마다, 세기마다, 세계 모든 나라의 자산에서 반복적인 시장 패턴을 만들어낸다.

재빠른 트레이더에게 이런 사이클은 문제가 아니라 기회이다. 나는 상승 추세 초입에 암호화폐를 사서 꼭대기 근처에서 파는 것을 목표로 한다. 이것은 내가 보통 가격 사이클의 맨 밑바닥에서 사는 것에 비해 수익의 작은 부분을 놓치는 것을 의

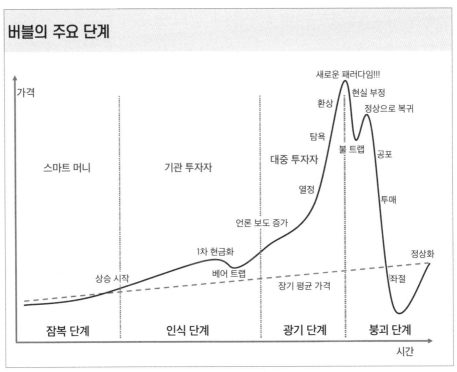

출처: Dr. Jean-Paul Rodgrigue, Dept of Economics and Geography, Hofstra University

미하지만, 그래도 나는 새로운 상승 추세가 탄탄하게 형성되는 것을 보고 난 후에 매수하고 싶다. 어렸을 때 나의 트레이딩 멘토 중 한 분이 내게 "바닥을 잡는건 원숭이들뿐(only monkeys pick bottoms)"[13]이라고 말했다. 그러나 그 인상적인 배설물 이미지 안에는 깊은 지혜가 있다. 아직 시작도 하지 않은 추세에 뛰어든다면 막연한 추측에 베팅하는 것과 같은 셈이다. 그럴 경우 아무런 성과도 없는 암호화폐에 무기한 돈이 묶이게 된다. 추세가 실제로 시작하는 것을 보고 탑승하는 것이 훨씬 낫다. 욕심을 부려 바닥을 잡으려 하지 마라. 좋은 추세를 초기에 올라타기만 해도 충분한 수익을 얻을 수 있다.

언제 사야 하는지보다 언제 팔아야 하는지 알아내는 것이 훨씬 더 어렵다. 인터넷에서는 이 주제에 대한 논의를 찾아보기가 어려운데, 사람들은 무엇을 사야 할지에 더 집중하기 때문이다. 하지만 언제 팔아야 할지는 수익성에 영향을 미치는 가장 큰 문제 가운데 하나이다. 10장에서 이 문제에 더 많은 시간을 할애할 것이다. 나는 추세가 이미 시작된 후에 사는 것과 마찬가지로 추세가 끝난 후에 파는 것을 좋아한다. '꺾인 이후'까지 기다리는 것만이 추세가 정말로 끝났는지 가늠할 수 있는 유일한 방법이다. 절대 상상도 하기 싫은 일은 가격이 충분히 올랐다고 생각해서 매도했는데, 가격이 두 배 오르고… 다시 또 두 배로 뛰는 일이다! 이런 일은 의외로 자주 일어난다.

그림2는 **추세 트레이더**의 전형적인 진입점 및 출구점을 보여준다. 보다시피 트레이더는 바닥과 꼭대기에서 수익을 조금 놓치지만, 매수와 매도 시점 사이에서 꽤 많은 수익을 챙긴다.

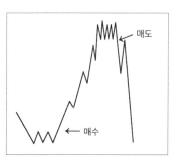

그림2

시세의 패턴은 본질적으로 프랙털적[14]인 경향이 있는데, 이는 그 패턴이 각각 다른 규모로 반복한다는 것을 의미한다.

그림3

그림3의 프랙털 패턴이 작고 큰 크기로 반복되는 것처럼, 그림2의 패턴들도 마찬가지다. 이런 추세는 1년 전체를 보여주는 차트에서와 마찬가지로 하루의 가격을 보여주는 차트에서도 쉽게 찾아볼 수 있다. 데이 트레이더이건 장기투자 '포지션 트레이더'이건 추세 매매의 원칙은 똑같지만, 앞서 설명한 대로 데이 트레이더에게는 훨씬 높은 비용이 든다.

이제 내가 실제로 돈을 많이 벌었던 실례를 살펴보자. 리플(XRP)은 2017년 내내 대부분 0.15달러에서 0.30달러 사이의 가격대에 움직였다. 그림4에서와 같이 12월 중순 리플은 이 평상시의 범위를 넘어 오르기 시작했다. 이는 새로운 상승 추세의 시작을 의미할 수 있으므로 나는 XRP를 매수했다.

완벽한 세상이라면 첫 번째 추세가 반전된 이후인 2.50달러에 팔아야 하지만, 나는 가격이 더 오르지 않는지 지켜보고 싶었다. 가격이 2.00달러 이하로 떨어지자 나는 상승세가 거의 분명히 끝났음을 알고 450%의 수익을 내고 매도했다. 한 달 동안의 거래치고는 꽤 괜찮은 수익 아닌가!

이 차트는 트레이더의 영원한 딜레마를 보여준다. 더 높은 고점까지 버텨야 할지 아니면 얻은 수익을 다 잃기 전에 그만 매도해야 할지 어떻게 알 수 있을까?

---

13 bottom에는 '바닥'이란 뜻 외에 '항문'이란 뜻이 있고, pick은 '선택' 외에 '찌른다'라는 뜻이 있어서 중의적으로 쓰였다.-옮긴이

14 fractal, 한 부분이 전체의 형태와 닮은 도형.

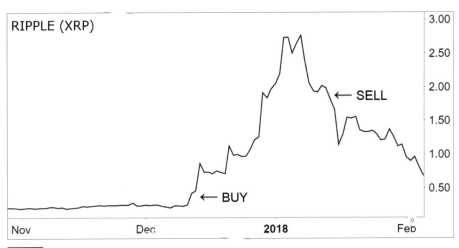

그림4 차트: Trading View

    트레이더라면 누구나 어려운 결정을 내리는 데 도움이 되는 규칙이 필요하다. 이상에서 이런 최고의 규칙을 몇 가지 살펴보겠다.

추세를 따르는 것이 유리한 이유

추세를 따르면 수익으로 이어진다는 걸 어떻게 알 수 있을까? 이를 입증하는 수많은 연구가 있다.[15][16][17] 운 좋게도 우리는 1세기가 넘는 전 세계의 시장가격 데이터를 갖고 있다. 컴퓨터 프로그램을 이용하면 여러 가지 전략이 지난 수십 년 동안 어떤 실적을 거두었을지 쉽게 테스트해볼 수 있다. 나는 암호화폐, 주식, 상품, 국채, 외환 등에 대해 나의 알고리즘을 설계함으로써 많은 전략을 테스트해 보았다. 추세를 따르는 전략을 바탕으로 한 모든 기본적이고 잘 설계된 시스템은 당연히 돈을 벌 수 있다.

그런 시스템이 통하는 이유는 매우 간단하지만, 학자들 사이에서는 수십 년 동안 이어온 치열한 논쟁의 핵심이기도 하다. 투자 산업은 자산 가격이 항상 이용 가능한 모든 정보를 완전히 반영한다는 **효율적 시장가설**(efficient market hypothesis)에 의해 오랫동안 지배되어 왔다. 다시 말해 어떤 기업에 대한 뉴스 기사가 나올 때마다 트레이더들은 즉시 그 주식을 사거나 팔기 때문에 새로운 가격이 다시 한 번 '공정'해지며, 이 과정은 거의 즉각적으로 일어난다는 것이다. 이것이 의미하는 바는 자산은 항상 공정한 가치로 거래되기 때문에 시장을 계속해서 이기는 것은 불가능하며, 그러므로 '할인 가격' 같은 건 없다는 가설이다. 유진 파마 시카고대 교수는 가격은 결코 예측할 수 없기 때문에(가격은 무작위로 움직인다), 추세 매매로 수익을 내기는 불가능하다는 자신의 랜덤워크 이론을 통해서 효율적 시장가설을 대중화했다.

"만일 경험적 증거에 비추어 **랜덤워크 이론**이 타당하다면, 차티스트 이론[18]은 점성술에 가깝고 투자자에게는 실적적인 가치가 전혀 없다."[19]

이런 생각은 사람들에게 단순히 전체 시장의 등락만 따라가는 인덱스 펀드를 추천하는 패시브 투자 산업의 엄청난 성장으로 이어졌다. 랜덤워크 이론은 가격이 이미 공정하게 평가를 받고 있기 때문에 자기만의 주식 또는 다른 투자 상품을

---

15 Duke, Harding, Land, 2013. 'Historical Performance of Trend Following'.
    www.winton.com/research/historical-performance-of-trend-following

16 Rohrbach, Suremann, Osterrieder, 2017. 'Momentum and trend following
    trading strategies for currencies and Bitcoin'.
    papers.ssrn.com/sol3/papers.cfm?abstract_id=2949379
    (2019.01.11에 'and Bitcoin' 부분이 'Revisited - Combining Academia and Industry'로 바뀌었음.-옮긴이)

17 Hurst, Ooi, Pedersen, 2017. 'A Century of Evidence on Trend-Following
    Investing'. papers.ssrn.com/sol3/papers.cfm?abstract_id=2993026

18 chartist theory, 기술적 분석을 통해 과거의 데이터를 바탕으로 미래의 주가를 예측하는 이론.-옮긴이

19 Fama, 1965. 'Random Walks in Stock Market Prices'.
    www.chicagobooth.edu/~/media/34F68FFD9CC04EF1A76901F6C61C0A76.PDF

고르는 것은 의미가 없다고 주장한다.

다행히도 파마 교수가 틀렸다. 현대의 컴퓨팅 능력은 수십 년의 과거 데이터에 추세 매매 기법들을 시험할 수 있게 해주었고, 이런 기법 중 일부는 실제로 효과가 있음을 보여주었다. 추세 매매는 실제로 수익을 낼 수 있으며, 심지어 파마 자신도 "시장 효율성에 대한 모든 잠재적인 문제 중에서 제일 큰 것이 모멘텀"임을 인정할 수밖에 없었다.[20] 시장은 효율적이지 않다. 왜냐하면 온갖 비이성적인 감정으로 사고팔면서 가격을 오르고 내리게 하는 인간들로 구성되어 있기 때문이다. 게다가 그 가격은 '공정한' 가치와는 거리가 먼 경우가 허다하다. 시장은 인간들이 한 방향으로 떼 지어 몰려가는 경향이 있어서 스스로 그들만의 모멘텀을 만드는 것처럼 보인다(포모)!

2013년 파마 교수는 그의 최대 라이벌인 예일대 로버트 실러 교수와 함께 노벨 경제학상을 공동 수상했다. 실러 교수는 효율적 시장가설을 "경제사상의 역사에서 가상 구꼭할 만한 오류 중 하나"라고 선언한 바 있다. 실러 교수는 행동심리학의 통찰, 특히 대니얼 카너먼과 아모스 트버스키의 연구, 그리고 리처드 세일러의 행동금융학의 통찰에 크게 영향을 받았다. 세일러는 사람들이 시장에서 비이성적인 결정을 내리게 하는 일련의 심리적 편견들을 발견했다.

예를 들어 트레이더들은 어떤 투자에 감정적으로 애착을 갖는 경향이 있다. 여러분이 다지코인이라는 암호화폐를 조사한다고 해보자. 여러분은 다지코인이 훌륭한 아이디어라고 생각하고 조금 매수한다…. 그런데 가격이 내려간다. 이때 이성적인 생각은 자신이 틀렸을지도 모른다는 걸 인정하는 것이다. 하지만 솔직히 말해서 사람들은 보통 그렇게 하지 않는다. 대신 자신과 생각이 같은 사람들을 인터넷에서

---

20 Fama, French, 2012. 'Size, Value, and Momentum in International Stock Returns'. Journal of Financial Economics, vol. 105, p.457-472.

찾고 '하락하는 가격은 무시하라! 다지코인이 방금 원키코인과 획기적인 계약을 체결했다!'라는 글을 올린다. 그런 식으로 사람들은 자신의 투자가 여전히 좋은 생각이라고 스스로를 납득시키려 한다.

이런 행동을 **확증편향**(confirmation bia)이라고 하는데, 논쟁의 양쪽을 냉정하게 평가하기보다는 어떻게 행동할지를 먼저 결정하고 나서 그 결정을 뒷받침할 증거를 찾는 인간의 성향을 일컫는다. 그 때문에 사람들은 현명하지 못한 투자 결정을 한다. 만일 많은 사람이 모두 동일한 곳에 투자하기로 비이성적인 결정을 한다면, 가격은 공정한 가치와는 아주 거리가 먼 수준으로 올라갈 수 있다.

우리는 모두 이런 편견들에 취약하다. 이것들은 투자자들에게 큰 손실을 안기기 때문에 중요하다! 14장에서 이런 편견들과 싸우는 방법에 대해 알아보겠다.

사람들이 특정 암호화폐에 흥분해 구매하면 다른 사람들도 자극을 받아 따라 구매하게 되고, 그러면 가격은 대부분의 사람이 급등이 지속되지 않으리라 의심하기 시작할 때까지 계속해서 올라간다. 하지만 사람들은 포모에 사로잡혀 현금 노다지를 놓치고 싶지 않기 때문에 자신의 두려움을 억누른다. 그러다가 결국 무언가가 거품을 터트리게 되는데, 그것은 아주 사소한 나쁜 소식이더라도 눈사태를 일으키는 최초의 작은 눈송이 역할을 한다. 일단 의심이 현실화되기 시작하면 심리상태는 반전되어 희망은 공포로 바뀌며 가격은 하방으로 속도가 붙게 된다.

우리는 이 모든 일이 암호화폐 시장에서 진행되는 것을 실시간으로 보았다. 2017년 말 거의 모든 암호화폐가 확증편향에 사로잡혀 있었고 가격은 탄력을 받아 급등했다. 그해 연말 거품이 터지고 추세가 역전되었으며 암호화폐 가격은 2018년 내내 하락했다. 이 글을 쓰는 현재도 매도세가 줄지 않고 계속되고 있지만, 결국 매도가 마침내 끝나면 바닥이 나타나고 다시 호황과 불황의 사이클이 시작될 것이다.

이런 심리적 편견들의 단순한 결론은 추세는 지속되는 경향이 있다는 것이다. 상승 추세의 임의 지점에서 매수할 경우 통계적으로 볼 때 하락보다는 상승을 지속할 가능성이 높다.

추세는 지속되는 경향이 있다. 이 한마디가 내가 돈을 버는 방법이다.

추세가 추세가 아니라면?

추세가 실제로 추세가 아니라면 어떻게 해야 할까? 이런 일은 자주 일어난다! 추세는 지속되는 경향이 있다는 말은 추세는 바뀔 가능성 보다 계속될 가능성이 더 높다는 뜻이지만, 유망한 추세에 매수했더라도 많은 경우에 가격이 그저 횡보하거나 - 훨씬 더 심각하게는 - 매수한 순간 하방으로 꺾이기도 한다.

이때가 '손실은 줄여라'라는 격언이 나설 차례이다. 제시 리버모어는 "가격이 제대로 움직이는가?"라고 묻곤 했다. 가격이 기대했던 대로 가고 있는가? 그렇지 않다면, 비록 작은 손실을 감수해야 할지라도 빠져나갈 생각을 시작해야 한다.

추세 매매의 큰 장점은 여러 번의 작은 손실을 벌충하는 데 정말 좋은 매매를 매년 몇 번만 하면 된다는 것이다.

참고, 참고, 참아라

훌륭한 추세 트레이더는 프로 포커 선수와 같다. 그들은 매번 작은 손실로 패를 내려놓으며 좋은 패가 들어오기를 끈기 있게 기다린다. 이런 모든 손실은 감정적으로 타격을 줄 수 있지만, 자제력을 유지하는 것이 중요하다. 그렇지 않으면 큰 승리를 놓친다.

트레이딩을 하면서 나는 작은 손실을 잇달아 보는 경우가 많았는데, 너무 화가 난 나머지 포기를 선언한 적도 있었다. 아니나 다를까, 결국 거래 화면으로 돌아오면 한 번 더 매매했더라면 큰 승리를 낚을 수 있었는데 그 기회를 날린 것을 알게 된다.

여러분이 강력한 트레이딩 전략을 개발했다고 확신하는데 연이어 손실을 본다면, 그것은 그저 동전을 8번 던졌지만 매번 앞면이 나오는 경우와 똑같은 일인지도 모른다. 이런 일이 아주 없는 건 아니라서, 이런 땐 전략에 문제가 있다는 의미가 아니라 단순한 불운일 수도 있다. 자신의 전략을 검토해 본 결과 여러분이 이런 경우라고 생각한다면, 마음을 단단히 먹고 계속 시도해볼 수도 있을 것이다.

많은 트레이더들이 이런 규칙들을 배웠지만, 오직 소수만이 돈을 버는 것은 행동편향들이 슬슬 생기기 시작하기 때문이다. 머릿속에서 작은 목소리가 규칙을 어기라고 속삭이기 시작한다. 우리는 모두 인간이기 때문에 때때로 그 목소리에 굴복한다. 그러나 훌륭한 트레이더는 그 목소리를 그대로 받아들이지 않으며, 귀를 기울이지만 궁극적으로는 규칙을 고수하고, 그 목소리에 끌려다니기보다는 그 **목소리를 통제**하는 법을 배운다.

1. 추세를 매매하라

2. 수익은 늘려라

3. 손실은 줄여라

4. 목소리를 통제하라

목표를 선택하는 법

"지식이 있는 자는 예언하지 않는다. 예언하는 자는 지식이 없다."

-노자, 기원전 6세기

미래는 아무도 모른다

암호화폐 포럼, 게시판, 소셜미디어의 어두운 세계를 돌아다니다 보면 점쟁이, 예언자, 그리고 아는 척하는 일반인들을 만나게 될 것이다. 이 사람들의 공통점은 미래에 무슨 일이 일어날지 안다는 것… 아니면 적어도 안다고 생각한다는 것이다. 그들 중에는 비트코인이 연말까지 5만 달러를 돌파한다고 확신을 가지고 선언하는 사람도 있고, 반대로 연말까지 비트코인이 2,000달러까지 폭락한다고 주장하는 사람도 있다.

그들은 모두 착각을 하고 있다. 하지만 내 페이스북에 있는 이 사람만은 예외인데, 그는 궁극의 소스로부터 예언을 얻기 때문이다.

트레이딩 사기꾼들의 가장 큰 신호는 '우수리 없는 큰 숫자'이다. 자, 누가 "내 분석에 따르면 비트코인이 중기적으로 상승할 가능성이 그렇지 않을 가능성보다 높다"라고 말한다면, 그건 예언이 아닌 '예상'이므로 정당한 의견이다. 그러나 누가 "비트코인이 내년 말까지 10만 달러를 돌파할 것이다"라고 말한다면, 그 사람은 그냥 떠버리라는 사실을 알아야 한다.

그리고 이런 의심스러운 사람들은 포럼에만 있는 게 아니다. 월스트리트 역시 그런 사람들로 가득해서 신문과 경제 TV 채널마다 내년 중반까지 애플 주가가 어디에 가 있을지, 또는 2년 후 인플레이션 수치가 얼마나 될지를 예언하고 있다. 그들의 예언은 유해무익하다. 그들의 정확도는 회전목마를 타면서 다트를 던지는 눈먼

원숭이 수준이며, 말도 안 되는 소리로 여러분의 트레이딩 직관을 흐릴 것이다.

그들은 확신에 찬 것처럼 보인다. 하지만 트레이더들도 인간일 뿐이다. 우리는 당연히 자신감 있는 사람들을 신뢰하는데, 그들은 마치 전문가인 양 행세한다. 그러나 여러분은 모든 허튼소리를 마음속에서 몰아내고 당면한 과제에 집중해야 한다. 즉, 앞으로 올라갈 가능성이 큰 암호화폐들을 찾아내야 한다. 시장에는 '확실한 것'만큼 놀라운 일도 없다. 만일 누군가가 당신에게 확실한 것을 주겠다고 말한다면, 반대 방향으로 가능한 한 빨리 달아나라.

우리에게 필요한 건 높은 성공 가능성이다. 앞서 설명한 바와 같이 수익성 있는 거래를 계속 보유하고 별 볼 일 없는 거래를 매도한다면 손실은 줄이고 수익은 꽤 크게 얻을 수 있을 것이다. 성공한 거래가 50%만 되더라도 작은 손실들보다 수익이 훨씬 더 클 것이기 때문에 여러분은 여전히 엄청난 돈을 벌게 된다. 그리고 여러분은 돈을 꽤 많이 벌고 싶을 것이다, 그렇지 않은가? 그렇다면 계속 읽어보자.

주요 추세 파악하기

"약세장에서는 모든 주식이 하락하고 강세장에서는 모든 주식이 상승한다."

- 제시 리버모어

어떤 암호화폐를 목표로 삼을지 결정하는 첫 단계는 전반적인 시장 분위기를 파악하는 것이다. 많은 트레이더들이 나무는 보는데 숲은 보지 못한다. 그 때문에 매매 진입 시점 같은 사소한 것에 초점을 맞추다 보니 시장의 전반적인 분위기가 매우 안 좋게 돌아갈 때에도 그 사실을 알아차리지 못한다.

시장에는 세 가지 주요 상태가 있다.

1. 상승 추세(강세장)
2. 하락 추세(약세장)
3. 횡보(특정 가격대 내에서)

암호화폐 시장이 상승 추세일 때는 매수로 돈 벌기가 아주 쉽다. 하지만 하락 추세이거나 횡보할 때에는, 매수 포지션으로 돈 버는 것이 가능은 하지만 훨씬 어렵다. 일부 과감한 트레이더들은 하락장에서 공매도하는 것을 선호하는데, 이에 대해서는 12장에서 자세히 살펴보겠다.

내가 말하는 주요 추세란 몇 달 혹은 몇 년 동안 지속되는 경향이 있는 것들이다. 그림1은 비트코인의 주요 추세로 상장 이후 대부분의 기간을 보여준다.[20] 비트코인은 언제나 전체 암호화폐 시장의 지표 역할을 하며, 일반적인 추세 방향 또는

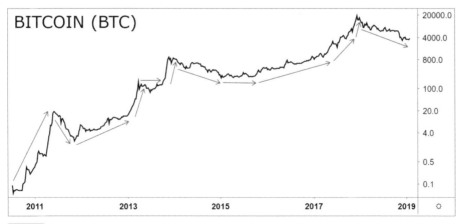

그림1 차트: Trading View

제시 리버모어가 밀 하던 '최저 저항선'을 결정해왔다. 비트코인이 가는 방향으로 시장의 나머지 코인들도 따라가는 경향이 있다.

주요 추세가 어디로 향하고 있는지 잘 모르는 경우, 많은 사람이 차트에서 이동평균선을 유용하게 사용한다. 이동평균선은 단기적인 가격 등락을 부드럽게 해서 장기적인 추세를 더욱 명확하게 나타내기 위해 차트에 추가된 선이다. 이동평균선은 최근 며칠 동안의 가격을 평균하여 계산된다. 그림2에서 가는 선이 비트코인 가격의 200일 이동평균선(MA)이다.

최근 200일의 가격들(기준일 날짜 포함)의 평균을 표시하기 때문에 '이동하는' 평균이며, 따라서 매일 새로 표시되는 지점은 새로운 날짜의 가격을 계산에 추가하고 200일 전의 가격은 평균에서 제외된다.

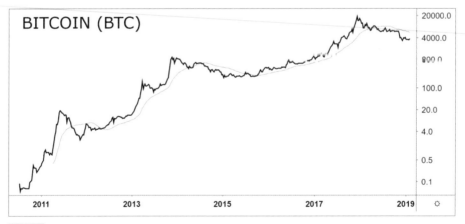

그림2 차트: Trading View

---

21 비트코인 차트는 리니어 스케일이 아닌 로그 스케일로 작성되었다. 보디시피 오른쪽 축의 가격이 비약적으로 상승한다. 이 차트 작성법은 절댓값 대신 백분율로 가격이 어떻게 상승하는지 보여준다. 그리고 시간이 지남에 따라 변화하는 추세도 확인할 수 있다. 한편, 리니어 스케일에서는 그래프의 왼쪽 전체가 엄청난 가격 상승이 나오기 전에 긴 직선처럼 보일 것이다.

짧은 기간의 가격들을 평균 내면 이동평균선이 가격선과 가깝게 붙게 되지만, 200일 이동평균선의 경우는 6개월 전의 가격들까지 평균에 반영하게 되므로 현재 가격과 상당히 떨어져 있는 경우가 많다.

이전 200일 동안의 가격들을 평균하여 사용하는 이동평균선은 항상 실제 가격보다 다소 뒤처지게 되지만 - 시차가 있기 때문에 - 더 큰 그림을 보는 데 도움이 된다. 비트코인의 경우 이동평균선이 보통 우상향임을 본다면 - 모든 극적인 상승과 하락에도 - 비트코인은 상장 이후 대부분의 기간에 장기적인 강세장을 누린 것을 알 수 있다.

장기적인 관점으로 보면 2018년의 비트코인 폭락은 2011년 이후 세 번째로 큰 단순 하락이라는 것을 알 수 있다. 물론 200일 이동평균선은 시시때때로 하락 전환했다. 10장에서는 이동평균선을 좀 더 자세히 살펴보고, 그것이 수익을 내는 데 어떤 도움을 줄 수 있는지 알아보겠다.

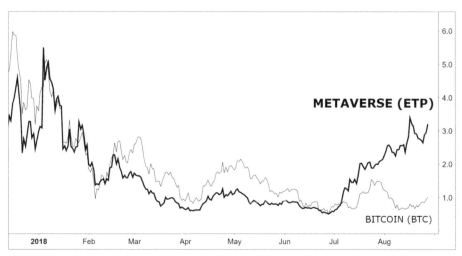

그림3 차트: Trading View

비트코인 상승장에서는 보통 대나수의 암호회폐가 상승하기 때문에 매수할만한 좋은 암호화폐 몇 가지를 고르기는 식은 죽 먹기다.

하락장이나 횡보장의 경우는 좋은 암호화폐를 고르기가 훨씬 까다롭지만, 여전히 가능하긴 하다. 예를 들어 2018년 여름, 시장이 침체된 가운데 나는 메타버스 (ETP)[22] 한 종목만 매수했다. 그림3은 비트코인 가격과 비교된 메타버스 가격을 보여준다. 보다시피 메타버스는 거의 모든 암호화폐가 그랬던 것처럼 비트코인을 따라 하락한다. 하지만 7월부터는 추세를 거스르기 시작했는데, 바로 그때 내 관심을 끌었다. 나는 곧바로 매수해서 상승세에 올라탔지만, 비트코인은 계속해서 하락세를 보였다. 불과 몇 주 만에 메타버스는 가격이 세 배나 뛰었다.

유망한 패턴

트레이딩 이론에는 기본적 분석과 기술적 분석이라는 두 가지 주요 분야가 있다. 앞서 언급했듯이 기본적 분석은 자산의 진정한 '가치'인 가격에 영향을 미치는 근본적인 요인들을 연구한다. 이 방법은 암호화폐를 분석할 때는 전혀 맞지 않는다. 왜냐하면 암호화폐의 성공은 유행 여부에 달려있어서 어떤 암호화폐가 장기적으로 대박 종목이 될지 알기 어렵기 때문이다. 그렇지만 8장에서는 좋은 장기투자 종목을 찾

---

22 METAVERSE, 중국에서 개발한 블록체인 기술 기반의 암호화폐 겸 플랫폼. NEO와 함께 중국판 이더리움이라고 불린다. ETP로 표기, 3차원 가상 세계와는 무관하다.-옮긴이

는 데 도움이 될 수 있는 몇 가지 중요한 기본적 분석을 해보겠다.

기술적 분석은 많은 시장에서 오랜 시간에 걸쳐 반복되는 가격 패턴을 연구하는 것이다. 이 분석법은 역사가 적어도 4세기 전으로 거슬러 올라가지만, 기술적 분석에 관한 첫 번째 결정판은 1932년에 출판된 리처드 W. 샤바커의『기술적 분석과 주식시장 수익(Technical Analysis and Stock Market Profits)』이었다. PC가 나오기 전에 차트 작성은 가격 포인트를 일일이 손으로 그려야 했기 때문에 힘든 일이었다. 그래서 수십 개의 패턴을 보여주고 그 의미까지 설명하는 샤바커의 책은 하나의 경이로운 작품이었다. 그 이후로 수천 권의 기술적 분석 서적이 나왔지만 새로운 분석의 대부분이 불필요하거나 오해의 소지가 있어서 많은 분석가들이 샤바커를 고집한다. 그래서 그의 작품은 **클래시컬 차팅**(classcial charting)이라 불린다.

나 같은 경우는 직접 적용해 보고 실제로 맞는지 입증된 것만 사용하는데, 샤바커의 직관이 종종 옳았음을 깨닫는다. 현재 빅데이터 테스트를 통해 이런 패턴 중 일부를 찾아보면 실제로 매매에서 유리한 위치에 설 수 있음이 입증되었다. 이 패턴들은 내가 암호화폐를 매매하기 시작한 이후 분명히 큰 도움이 되었다. 암호화폐는 완전히 새로운 자산이지만 인간의 오래된 행동방식은 결코 변하지 않기 때문에 이 고전적인 패턴들은 여전히 믿을 만하다.

단서는 차트에 있다

목표를 정하는 첫 번째 단계는 계좌를 개설한 암호화폐 거래소에서 매매할 수 있는 암호화폐 리스트를 살펴보는 것이다. 거래 화면의 티커(Ticker)나 종목(Instrument) 메뉴에서 각 기호를 클릭하면 일반적으로 해당 암호화폐의 차트가 차트창에 나타난다. 여기에서 현재 추세 및 관련 차트 패턴을 검토할 수 있다.

많은 암호화폐 거래소가 트레이딩뷰 차트를 사용하며 트레이딩뷰 웹사이트 (www.tradingview.com)를 방문하면 기본 차트 도구를 무료로 사용할 수 있다.

화면 왼쪽의 툴바를 사용하면 차트에 선을 그리고 메모를 추가할 수 있다. 좌상단의 메뉴는 차트를 표시할 금융상품을 선택하는 곳이다(여기에서는 'BTCUSD', 즉 달러로 가격을 표시한 비트코인). 그 옆에는 기간 메뉴가 있으며 여기에서는 일간 가격 포인트를 뜻하는 'D'로 설정되어 있지만, 그 대신에 주간 또는 월간 가격에서 분당 가격까지 원하는 가격을 표시하도록 설정할 수 있다. **지표**(Indicators) 탭에서는 이동평균선을 비롯해 차트를 분석하고 유망한 암호화폐를 찾는 데 도움이 될 수 있는 다양한 도구를 선택할 수 있다.

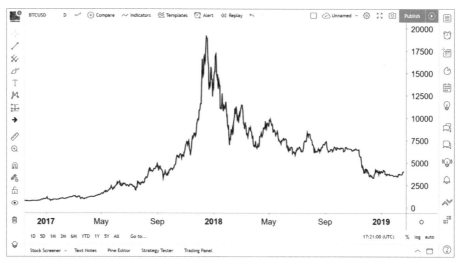

그림1 차트: Trading View

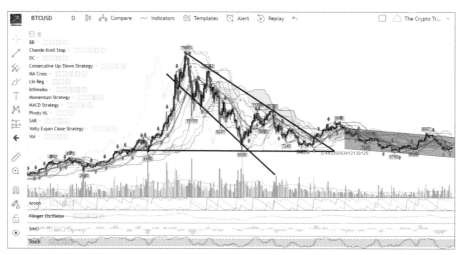

그림2 차트: Trading View

이 도구들은 과도하게 사용하지 않는 것이 좋다. 여러분은 인터넷에서 다음과 같은 차트 분석을 본 적이 있을 것이다.

이렇게 복잡한 차트는 혼란만 가중시켜 매매에 나쁜 영향을 준다. 지나치게 복잡한 것은 전혀 도움이 되지 않으며 영리한 방법이 아니다. 비교적 단순한 것이 가장 성공적인 전략인 경우가 많다.

캔들 차트

위에서는 그렇게 말했지만, 필요 이상으로 복잡하게 보일 수 있는 것을 하나 소개하고자 한다. 장담컨대 충분히 사용해볼 만한 가치가 있다. 우리는 구불구불한 선을 사용해 가격 변동을 표시하는 대신 그림3과 같이 일본식 캔들 차트를 사용할 것이다.

그림3 차트: Trading View

캔들은 시장 심리에 대해 최초로 책을 쓴 18세기 일본의 쌀 상인 혼마 무네히사[23]가 고안한 것으로 여겨진다. 세계적으로 알려진 것은 불과 몇십 년 전이지만, 그때부터 캔들을 차트에 사용하는 것이 일반적인 관행이 되었다. 캔들은 직선으로만 그려진 차트를 보는 것보다 가격 변동에 대해 더 많은 사실을 알려준다.

일간 선 차트(daily line chart)는 단순히 매일의 종가를 보여주는 일련의 점들을 선으로 모두 연결한 것이다. 일간 캔들 차트에서는 이 각각의 점들이 '캔들'로 교체되어 거래일의 시가, 최고가, 최저가, 그리고 종가를 보여준다.

그림4의 왼쪽은 전형적인 가격 상승 캔들을 보여준다. 장이 열리면 가격은 최고점과 최저점 사이에서 움직이다가 마지막에 종가로 끝을 맺는다. 캔들은 흰색이나 녹색으로 표시되어 거래일 동안 가격이 올랐음을 보여준다.

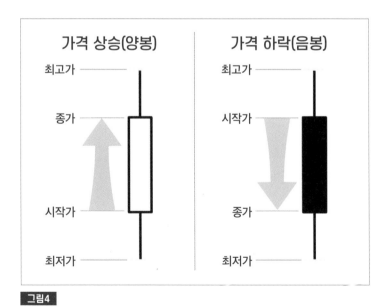

그림4

---

23 18세기 일본 에도시대에 쌀 거래로 막대한 부를 쌓은 상인.-옮긴이

가격 하락 캔들은 검은색이나 빨간색으로 표시된다. 캔들의 '꼬리'는 시가와 종가 범위를 벗어난, 그날의 가격 변동 정도를 보여주는 유용한 정보이다. 나중에 캔들 꼬리의 특히 중요한 응용 방법을 살펴보겠다.

완벽한 매수 포인트는?

2015년 말 비트코인은 완벽한 매수 포인트를 제공했다. 그림5는 그때의 상황을 보여준다.

보다시피, 2013년 말 비트코인은 두 달도 채 안 돼 130달러에서 거의 1,200달러로 엄청나게 폭등했다! 이런 규모의 급등은 지속할 가능성이 거의 없는데 예상대로 곧 폭락했다. 그 후 비트코인은 요요처럼 등락을 거듭했지만, 전반적인 추세는 1년 넘게 우하향이었다. 그러다 차트의 끝부분에서 가격이 횡보하기 시작하며 바닥을 형성하는데, 우리는 이것을 **베이싱 패턴**(basing pattern)이라고 부른다. 폭락의 기운

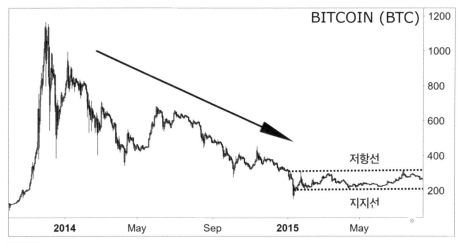

그림5 차트: Trading View

은 떨어져 가고 매도세가 약해지기 시작하면서 사고파는 사람들의 비율이 비슷하기 때문에 가격이 점선의 박스권 내에서 움직인다.

위쪽 점선은 **저항선**, 그리고 아래쪽 점선은 **지지선**이라고 한다. 가격이 지지선 쪽으로 내려갈 때마다 트레이더들은 가격이 지지선 위로 반등할 거라는 기대감으로 매수에 나서기 때문에 이 반등은 자기실현적 예언[24]이 된다. 마찬가지로 가격이 저항선에 접근하면 트레이더들은 하락을 예상하고 매도하기 시작하므로 가격은 다시 내려간다.

일반적으로 이런 베이싱 패턴이 길어질수록 최종적으로 박스권 돌파에 대한 자신감이 커지는데, 이는 강력한 저항선이 뚫릴 경우 흔히 급격한 상승으로 이어지기 때문이다. 이 경우에는 베이싱이 거의 1년 내내 계속되었다.

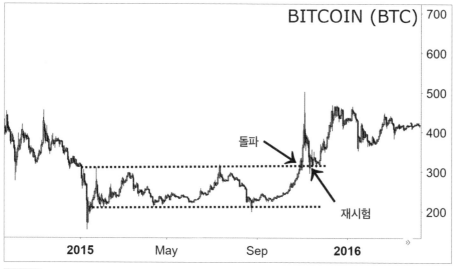

그림6 차트: Trading View

---

24 self-fulfilling prophecy, 어떤 일이 생긴다는 예측과 기대를 먼저 하고 그 예측의 현실화를 위해 행동한다는 사회심리학적 현상. 자기충족적 예언이라고도 함-옮긴이

10월 말 저항선을 뚫은 최종 돌파는 실제로 큰 움직임이었지만, 흔히 그렇듯이 가격은 저항선을 재시험하기 위해 곧장 다시 내려갔다. 이 재시험은 가격이 저항선에서 주춤거리다가 다시 상승세로 돌아섰기 때문에 성공적이라고 볼 수 있다.

그 이후는 모두가 아는 대로 곧 시장의 전설이 나온다. 앞으로 몇백 년이 지나 켄타우루스자리의 알파별에 살게 될 트레이더들은 자신의 열성적인 트레이더 아이들에게 2017년의 놀라운 비트코인 시장에 대해 말해줄 것이다. 역사상 여기에 견줄 만한 호황은 거의 없었다.

차트를 줌 아웃해서 큰 그림으로 살펴보자. 우리의 돌파 지점은 그림7의 차트 맨 왼쪽에 있다. 보이는가? 아마 보이지 않을 것이다.

지금은 상승과 하락의 모든 움직임이 차트 오른쪽의 엄청난 가격 상승으로 인해 완전히 축소되었기 때문에 그냥 평평한 선처럼 보인다. 비트코인 가격은 이 돌파 지점부터 2년도 지나지 않아 6,000% 이상 올랐고 금융 역사상 가장 큰 가격 상승 중 하나가 되었다.

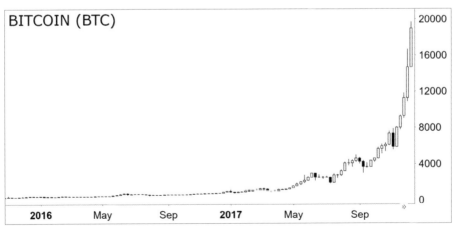

그림7 차트: Trading View

돌파를 좇지 마라!

자, 어떤 이유로 그 돌파 지점을 놓치면 어떻게 될까? 어쩌면 여러분은 이미 돌파가 나온 후에야 베이싱 패턴을 알아챘을지도 모른다. 혹은 휴가 중이라 시장에 집중하지 못했을 수도 있다. 어쨌든 새로운 상승 추세가 시작되었고 그 추세에 뛰어들고 싶은 유혹에 빠질 것이다! 수익을 낼 잠재력이 아주 많이 남아있다. 그렇지 않은가? 여기 후회하는 트레이더의 사고 과정을 살펴보자(그림8).

그들은 돌파 지점을 놓치고 매수하고 싶어 안달하지만(포모), 가격이 그렇게 급등한 후에는 조금 조정을 보이리라 합리적으로 예상하기 때문에 곧바로 매수하지 않는다. 그리고 가격이 내려가기를 기대한다. 그러나 가격은 내려가지 않고 오히려 더 올라간다. 이제 그들은 슈퍼 포모 상태에 이르지만, 지금 매수하기엔 분명 너무 늦었다고 생각해서 가격이 내리기를 기다리는 수밖에 없다. 그러나 가격은 점점 더 빠

그림8 차트: Trading View

르게 올라 마침내 한 달도 안 돼 두 배로 뛴다. 이제 포모는 감당하기 어려운 수준까지 다다른다. 그들은 앞으로도 몇 배나 더 뛸지 모르는 기회를 계속해서 놓칠수도 있는 것이다! 그래서 그들은 공황 매수를 하지만, 아니나 다를까 그때가 단기 추세의 꼭지가 되고 만다. 가격이 상승포물선[25]을 그리면 훨씬 일찍 매수한 단기 투자자들은 수익을 확정하려고 비트코인을 떠넘기기 시작하고 가격은 급락한다. 공황 매수에 가담한 우리 가련한 트레이더는 단 며칠 만에 투자금의 거의 절반을 잃는다! 그는 가격이 다시 회복하길 바라며 매도하지 않고 계속 버티지만, 가격은 처음 돌파 지점(BREAK OUT point) 아래로 떨어지고, 그는 엄청난 가격 폭락이 올 것을 두려워하며 결국 공황 매도를 한다. 그러나 공황 매도자들이 팔기 시작하면서 저가를 노리던 매수자들이 사들이고 가격은 빠르게 회복한다.

그래서 '돌파'를 쫓는 것은 좋은 생각이 아니다. 여러분은 아마 속으로, 팔지 않는 한 너무 늦게 산 것은 상관없다고 생각할지도 모른다. 왜냐하면 가격이 결국 회복하면 뒤따르는 비트코인 호황으로 큰돈을 벌기 때문이다. 맞다, 뒤늦게 깨달을수 있다는 건 대단한 일이다.

그러나 문제는 여러분이 그렇게 함으로써 첫 번째 규칙 '손실은 줄여라'를 어겼다는 것이다. 이 규칙이 58번째나 324번째가 아니라 첫 번째인 데는 그만한 이유가 있다. 여러분의 파산을 막기 위해서이다. 그렇다, 이 예에서는 돌파가 큰 성공으로 이어졌지만, 돌파에는 성공적인 돌파 외에도 '거짓 돌파'가 있다. 거짓 돌파일 때에는 그림8에서처럼 가격이 치솟지만, 일단 하락하기 시작하면 계속해서 떨어진 다음 다시 더 떨어져서 어쩌면 다시는 회복하지 못할 수 있다.

---

25 수학에서 상승포물선은 점점 더 빨리 상승하는 곡선을 말한다.

파산하지 않는다는 것은 거짓 돌파로부터 자신을 보호하는 것을 의미한다. 제일 좋은 방법은 돌파 지점에서 사고 스톱로스(stop-loss)를 설정함으로써 가격이 돌파 지점보다 낮게 떨어지면 작은 손실만 감수하고 빠져나오는 것이다. 스톱로스는 거래소에 **역지정가** 주문을 내는 것으로 가격이 자신에게 지나치게 불리하게 움직일 때 스스로를 보호하기 위한 것이다. 암호화폐를 매수할 때 매도 역지정가 주문을 낼 수 있는데, 가격이 지정한 수준 아래로 떨어지는 경우에만 실행된다.

내가 하려는 말은 가격이 돌파하는 정확한 순간에 암호화폐를 매수해야 한다는 뜻이 아니다. 많은 전문 트레이더들이 사용하는 훌륭한 경험 원칙 하나는 돌파 지점의 5% 이내에서만 매수하는 것이다. 만일 내가 거래 화면을 볼 때쯤에 가격이 그보다 더 올랐다면 나는 보통 돌파를 무시하고 다음 기회를 기다린다. 놓쳐버린 한 번의 기회에 집착하면 시야가 좁아지고, 그 때문에 다른 곳에서 새로운 - 훨씬 더 좋을 수도 있는 - 기회를 발견하지 못할 가능성이 커진다.

직각삼각형

돌파를 쫓는 것은 분명히 안 되지만, 그렇다고 2016년에서 2017년 사이에 비트코인 붐이 이는 동안 더는 수익을 얻을 기회가 없었다는 뜻은 아니다.

가격은 2년 동안 단순히 일직선으로 오르지 않았고, 상승 중에 수많은 조정을 거쳤으며 각각의 조정 시에 그다음 좋은 진입 지점의 단서를 보여주는 가격 패턴이 나타났다. 2015년 말에 나온 돌파 지점으로 돌아가 보자.

최초 돌파 이후 6개월 동안 가격이 오르내리는 보합 기간이 이어졌다. 그러나 가격은 단순히 무작위로 움직였던 것이 아니라 변동 폭을 점점 좁혀가며 이후의 돌파를 준비하는 스프링처럼 감기면서 움직였다. 가격 범위가 점점 좁아지는 과정에서 그림9와 같이 **직각삼각형** 패턴이 생겨났는데, 이 패턴은 돌파의 가장 신뢰할 수 있는 모양 중 하나이다. 하지만 여러분은 이 패턴이 그렇게 믿을 만하다면, 왜 내가 삼각형이 형성되는 긴 기간 동안 결국 돌파가 나오리라 예상하고 암호화폐를 사지 않는지 궁금해할 것이다. 그 이유는 이 신호를 완전히 신뢰할 수는 없으며(어떠한 매매 신호도 완전히 신뢰해서는 안 된다) 횡보 기간에 매수하면 여러 번의 매수와 매도로 이어질 수 있기 때문이다.

예를 들어, 내가 2016년 4월 초에 비트코인을 샀다면 가격이 순식간에 아래쪽 점선 아래로 떨어졌을 때 재빨리 자동 청산(stopped out)[25]되었을 것이다. 그런 하향 돌파는 삼각형 패턴이 실패했음을 나타내는 신호였을지도 모르기 때문이다. 그러고 나서 곧바로 내가 다시 매수했을지는 모르지만, 어차피 차트에 보이는 또 다른 캔들 아랫꼬리에서 또다시 자동 청산되었을 것이다. 돌파가 시작되기를 끈기 있게

그림9 차트: Trading View

기다렸다가 적절한 시기에 매수하는 것이 훨씬 더 좋은 방법이다.

6월의 돌파도 놓쳤다면 여러분이 해야 할 일은 그림9와 같이 6개월 후 2016년 12월에 또 다른 돌파가 나올 때까지 기다리는 것이었다. 800달러에 매수하더라도 강세장이 최고점을 찍기 전까지 2,400%의 수익을 얻을 수 있었을 것이다! 따라서 적절한 추세에 들어갈 때 첫 번째 진입 지점을 놓치더라도 추세선을 따라 기회가 또 있다는 사실을 기억해야 한다.

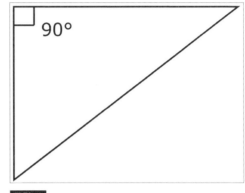

트레이딩에서 직각삼각형은 윗변이나 아랫변이 수평인 단순한 삼각형 패턴이다. 통계적으로 이 수평 변이 있는 삼각형은 대각선 지지선이나 저항선이 있는 삼각형보다 매매 신호로 신뢰성이 더 높은 편이다. 다

그림10

시 한번 말하지만, 이것은 아마도 인간의 심리 때문일 것이다. 트레이더의 시선은 가격 움직임을 담고 있는 것으로 보이는 수평선에 쏠리는 반면, 대각선에는 그런 확실한 특성이 없는 것으로 보인다. 수평선은 지지선 및 저항선으로서 더 큰 의미를 갖는 것처럼 느껴지므로 그렇게 의미를 가진다. 이것은 순환 논법이다.[27] 수평선은 사람들이 그것이 의미가 있으리라 기대하기 때문에 의미가 있고, 또 사람들은 수평선이 의미가 있기 때문에 그것이 의미가 있으리라 기대한다.

---

25 'stopped out'은 가격이 스톱로스로 설정된 선에 도달하면 거래가 자동으로 청산되는 것을 의미한다.

27 A가 B를 입증하는 데 사용되고, 다시 B가 A를 입증하는 데 사용되는 잘못된 논리 방법.-옮긴이

대칭삼각형

대칭삼각형은 차트에서 아주 흔히 나타난다. 찾아보기만 하면 어디에서나 쉽게 볼 수 있을 것이다. 유감스럽지만 이미 언급한 바와 같이, 대칭삼각형에 수평 변이 없다면 매매 신호로서는 특별한 신뢰성을 갖지 않는다.

대칭삼각형은 그림11의 삼각형과 같은 모양이다.

대칭삼각형은 그 대칭 형태 때문에 미래 방향에 대해 별로 단서를 주지 못하지만, 가격이 삼각형의 꼭짓점에 수렴할 때 돌파 지점(위나 아래 방향으로)을 찾아볼 만한 가치가 있는데, 그림11에서처럼 꼭짓점에서의 최종 가격 움직임이 매우 깅하게 나 올 수 있기 때문이다.

그림11 차트: Trading View

쐐기형

쐐기형은 기본적으로 위쪽 또는 아래쪽으로 기울어진 삼각형으로 페넌트라고도 한다. 그림12는 암호화폐인 '대시'가 2017년 말 급등 직전에 쐐기형 패턴을 형성하고 있음을 보여준다. 하향 쐐기형은 상단을 향해, 상향 쐐기형은 하단을 향해 돌파하는 경향이 있다. 보통 쐐기형은 **지속형 패턴**으로 주요 추세의 사이에 잠시 추세와 반대 방향으로 나타난다. 따라서 그림12에서와같이 강한 상승세 전에 짧게 하향 쐐기형이 나오고 그다음에 다시 주요 상승세가 재개될 수 있다. 쐐기형이 끝나는 지점은 이미 오랫동안 자리 잡은 추세에 진입할 좋은 기회가 될 수 있다.

하지만 이미 말했듯이, 쐐기형은 특별히 신뢰할 수 있는 패턴은 아니다. 여러분이 쐐기형이나 기울어진 삼각형이라고 생각하는 패턴도 종종 완전히 다른 패턴으로 변한다. 그리고 쐐기형은 '잘못된' 방향으로 돌파가 나오는 경우도 많다. 따라서 쐐기형이 진행되는 동안에는 다음에 어떤 상황이 벌어질지 열린 마음을 가져야 한다.

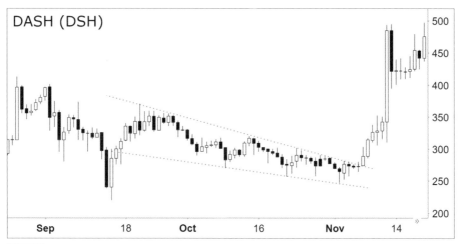

그림12 차트: Trading View

깃발형

'페넌트'는 리처드 샤바커가 쓰던 용어 중 하나였다. 그는 쐐기형 또는 페넌트형과 유사한 또 하나의 흔한 지속형 패턴인 깃발형에 대해서도 언급했는데, 가장 큰 차이점은 깃발형은 평행선으로 이루어진다는 점이다. 그림13은 지속형의 깃발형 패턴을 보여준다.

가격이 상승하다가 박스권에서 횡보하고 - 때때로 상승 혹은 하락하며 - 다시 상승세를 새개한다. 쐐기형 또는 페넌트형과 마찬가지로 깃발형에서는 특히 깃발의 선들이 대각선이 아닌 수평선인 경우 돌파 지점에서 상승 추세가 계속되므로, 거래에 뛰어들 좋은 기회가 될 수 있다. 함부르크 응용과학대학의 최근 논문에 따르면 깃발형은 가장 신뢰성이 높은 차트 패턴 중 하나이다.[27]

그림13 차트: Trading View

헤드앤숄더형

헤드앤숄더형(H&S) 패턴은 사람의 머리와 어깨를 닮았다. 그렇다, 나도 이건 바보 같
은 생각이란 걸 안다. 마치 창밖의 구름이 엘비스처럼 보인다고 하는 것과 다를 바
없이 들릴 것이다. 그러나 헤드앤숄더형은 비교적 복잡한 패턴을 설명하기에 좋은 간
단한 편법일 뿐이다. 경험적으로 H&S는 가장 신뢰성이 높은 패턴 가운데 하나로, 이
를 이용했을 때 매매 수익성이 향상됐다는 광범위한 학문적 증거를 갖고 있다.[29][30][31]

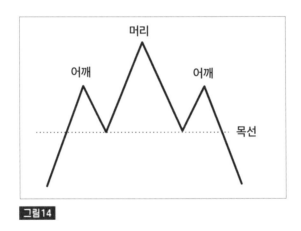

그림14

---

28 Karolina Michniuk, 2017. 'Pattern recognition applied to chart analysis'.
    riunet.upv.es/bitstream/handle/10251/78837/English%20Abstract%20Michniuk.pdf?

29 Osler, Chang, 1995. "Head and Shoulders: Not Just a Flaky Pattern".
    papers.ssrn.com/sol3/papers.cfm?abstract_id=993938

30 Savin, Weller, Zvingelis, 2006. 'The Predictive Power of Head-and-Shoulders
    Price Patterns in the U.S. Stock Market'. Journal of Financial Econometrics.
    www.researchgate.net/publication/31474225_The_Predictive_Power_of_Head-and-
    Shoulders_Price_Patterns_in_the_US_Stock_Market_Gene_Savin

31 Lo, Mamaysky and Wang, 2000. 'Foundations of Technical Analysis: Computational Algorithms,
    Statistical Inference, and Empirical Implementation'.
    The Journal of Finance. www.nber.org/papers/w7613

그림14는 이론상의 H&S 패턴 모양을 보여준다. 이 패턴은 **헤드앤숄더형**이다. 가격이 '머리'에 도달할 때까지 상승세를 보이다가 나타나는 반전 패턴이다. 두 번째 어깨는 상승 추세가 끝나고 새로운 하락세가 시작될 가능성을 경고한다. 목선은 첫 번째 어깨 이후, 그리고 머리 이후에 가격이 반등하는 곳까지이다. 두 번째 어깨 이후에 가격이 목선 아래로 떨어지면 패턴이 완성되면서 새로운 하향 추세가 시작될 수 있음을 의미한다.

그림15는 **역헤드앤숄더형**을 보여준다. 보다시피 H&S형의 반대 이미지이기 때문에 단순히 그림14를 거꾸로 돌려놓았다(주석을 읽으려면 물구나무를 서시길). H&S 역시 삼각형과 마찬가지로 지지선, 저항선, 그리고 목선(이 경우는)을 연결하는 선은 대각선보다는 수평일 때가 좋다.

현실 세계에서 H&S형 패턴은 보통 책에 나오는 이미지보다 훨씬 더 복잡하고 훨씬

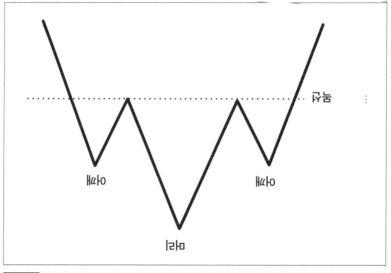

그림15

더 지저분하게 나타난다. 그림16은 2017년 호황기와 그 이후의 이더리움 대 달러 차트이다.

여기에서는 큰 H&S형 안에 작은 H&S형이 있는 것을 볼 수 있다.(앞서 말한 프랙털 형태가 여기에서도 나타난다!) 2018년 3월 작은 H&S의 목선이 깨졌을 때, 이는 추세의 변화를 알리는 중요한 신호였고 위험한 삶을 좋아하는 사람에게는 공매도라는 신호였다.

하락 추세에서 흔히 볼 수 있듯이 이때의 공매도는 정말 롤러코스터 같았다. 가격이 400달러까지 떨어졌다가 다시 두 배로 올랐다. 두 번째 큰 어깨에서 가격은 H&S형의 목선을 다시 시험했다. 그러고 나서 새로운 하락세가 큰 H&S형의 목선까지 계속되었는데, 그곳에서 마지막으로 소수의 매수자가 가격을 다시 올리려 시도했지만 실패하면서 잠시 횡보했다. 그러나 마침내 목선이 깨지자 매수자들의 지지가 사라졌고 더 큰 급락으로 이어졌다.

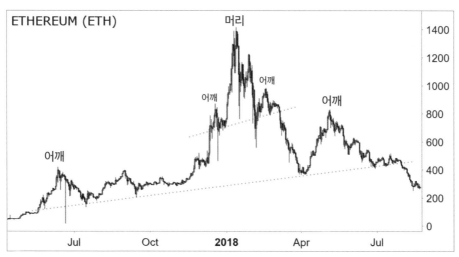

그림16 차트: Trading View

이번에는 역헤드앤숄더형의 강세장 예를 살펴보자. 그림17에서 보면 추세상 늦긴 했지만 2017년 9월 비트코인에 진입하기 좋은 시점이 보인다. 다시 말하지만, 이것은 큰 역H&S 안에 있는 복잡하고 작은 역H&S이다.

작은 역H&S가 완성되었을 때 큰 역H&S의 목선까지 크게 반등이 나왔고, 그다음 작은 역H&S의 목선에 대한 재시험으로 이어졌다. 재시험은 '성공적'이었고 가격이 다시 올라가 큰 목선을 뚫고 계속 상승했다.

이 역H&S형은 당시 나를 잠시 멈춰 세우고 고민하게 했는데, 목선의 경사가 꽤 가파르다는 것은 좋은 신호가 아니었기 때문이었다. 그러나 이 추세는 9월 내내 아주 일관되게 진행되었고 마침내 목선이 뚫렸을 때 나는 비트코인을 추가 매수했다.

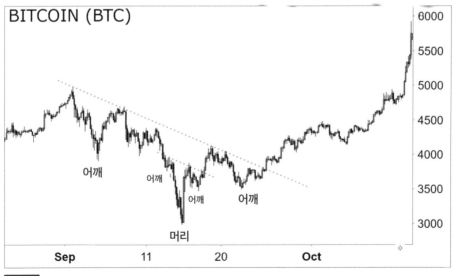

그림17 차트: Trading View

엘비스 구름

실제 매매 경험이 거의 없는 경제학자들과 같은 여러 사람들이 이런 패턴들은 실제로 존재하지 않으며, 인간의 마음이 실제로 존재하지 않는 패턴을 찾아내는 데 익숙한 것뿐이라고 믿는다(구름 모양에서 엘비스를 찾아내는 것처럼). 나는 그들이 왜 그렇게 생각하는지 안다. 기술적 분석은 처음에 다분히 점성술 같은 느낌을 주니까! 경제학자들은 비웃을지도 모르지만, 그들은 분명히 틀렸다. 차트 패턴이 매매 실적을 높인다는 학술적 증거가 충분한데 뭐가 더 필요하겠는가?

만일 달이 일곱 번째 궁에 들고 목성이 화성과 정렬할 때 트레이더들이 더 큰 수익을 얻었다는 것 역시 철저한 학문적 연구를 통해 증명된다면, 나는 이 책에서 점성술에 관해 말하고 있을 것이다. 하지만 그렇지 않기 때문에 나는 점성술에 관해 말하지 않는 것이다.

과거의 차트를 연구해 보면 동일 패턴이 시장 역사 전반에 걸쳐 얼마나 자주 반복되는지를 알고 놀랄 것이다. 그림 17의 비트코인 차트를 그림18에 보이는 1936년 미국 회사 울워스의 차트와 비교해보자. 두 차트의 유사성은 정말 놀랍다. 둘 다 큰 역H&S형 안에 작은 역H&S형이 들어 있다.

시장은 바뀔 수 있지만 인간의 감정은 변하지 않으며, 그 때문에 패턴과 수익 기회가 계속 나온다는 사실을 명심하라.

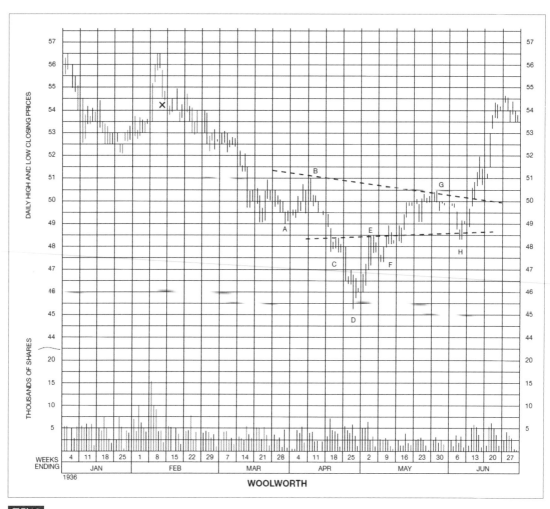

그림18

출처: Technical Analysis and Stock Market Profits by Richard W. Schabacker

섣불리 움직이지 마라

다시 한번 말하지만, 여러분은 목선 돌파를 기다리는 대신에 단순히 일찍 매수했더라면 훨~씬 큰 수익을 냈으리라 생각할지도 모른다. 문제는, 돌파와 관련해서 확실한 것은 아무것도 없다는 사실이다. 때때로 역H&S형은 실패하지만, 그럴 때도 좋은 매매 신호가 될 수 있다. 단 여러분이 예상한 것과 정반대의 방향에서라면 말이다! 그림19는 2018년 초 비트코인의 달러화 차트를 보여준다.

3월 초 많은 트레이더가 역헤드앤숄더형을 확인하고 매수에 나서려고 안달했다. 어떤 사람들은 '음, 일찍 들어간다고 나쁠 게 있을까?'라고 생각하기 시작했을 것이다. 이런 사람들은 가격이 목선에 부딪친 후 아래로 떨어지면서 몹시 실망했을 것이다(그리고 손실도 났을 테고).

가격이 두 번째 어깨 아래로 떨어진 후에는 역H&S형 패턴은 '실패'가 분명해졌고,

그림19 차트: Trading View

이는 연초에 자리 잡은 하락세가 계속될 가능성이 높다는 것을 강하게 시사했다.

거래량

가격 이외에 가장 유용한 지표는 **거래량**이다. 일간 차트를 보면, 거래량은 맨 아래에 일련의 막대로 표시되며 앞서 언급한 대로 매일의 거래량을 나타낸다. (시간별 차트의 경우, 가격 캔들과 거래량 막대는 각각 1시간에 해당하는 가격과 거래량을 보여준다.) 일반적으로 거래량 막대는 해당 기간에 가격이 상승하면 녹색 또는 밝은 색으로 표시되며, 가격이 하락하면 빨간색 또는 어두운 색으로 표시된다.

그림20에서 제일 주목해야 할 점은 가격에 큰 반전이 일어나는 날에 거래량이

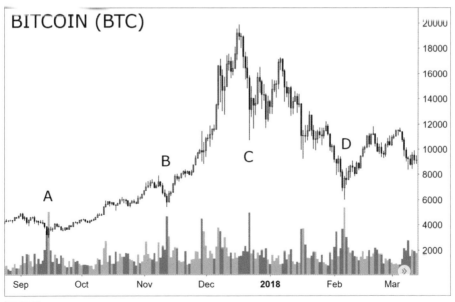

그림20 차트: Trading View

치솟는 경향이 있다는 사실이다. 이것은 매수와 매도에 커다란 변화가 생기고 있음을 알려준다. 즉, 그동안 매수자(긍정적인 사람들)가 우세했다면 이제는 매도자(부정적인 사람들)가 우세하고, 그동안 매도자가 우세했다면, 이제 매수자가 그렇다는 의미이다.

그림20에서 이런 중요한 지점이 몇 개 나오는 것을 확인할 수 있다. 2017년 9월 14일과 15일(A)에 엄청난 거래량으로 막대가 치솟으면서 부정적인 추세가 갑자기 긍정적인 추세로 바뀌었다. 11월 12일(B)에 같은 현상이 다시 나타났다. 12월 22일(C)에는 매수자와 매도자가 시장을 장악하기 위해 엄청난 거래량을 보이며 치열하게 싸웠기 때문에 또 다른 큰 전환점이 되었다. 이날 가격은 1만6,000달러에서 1만700달러로 폭락했다가 다시 1만3,000달러까지 올라왔다. 그 후 몇 주 동안 시장은 회복세를 이어갔다. 마지막 큰 전환점(D)은 2018년 2월 6일로, 오랜 하락세가 역전되고 비트코인은 다음 달까지 상승했다.

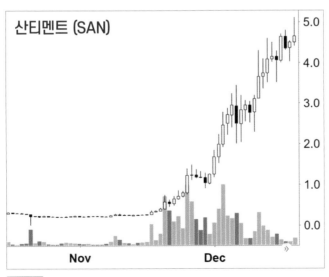

그림21 차트: Trading View

거래량은 다른 상황에서도 유용하게 쓰일 수 있다. 예를 들어 차트가 한동안 조용히 횡보할 때 갑자기 돌파가 나오면 보통 거래량이 많이 증가한다. 그러나 거래량이 증가하지 않는 경우 돌파는 보통 힘을 잃으면서 거짓 돌파로 판명된다. 그림21은 거래량 변화의 예이다. 산티멘트의 거래량은 오랜 침묵 끝에 가격이 빠르게 상승하기 시작하는 11월에 폭발적으로 증가한다.

패턴에서 패턴으로

과거의 패턴들을 검토해보면 - 뒤늦게 깨닫기는 하지만 - 모든 것이 꽤 간단해 보인다. 여러분은 어떤 패턴을 찾아내고 그 패턴이 완성될 때까지 기다렸다가 매매에 나

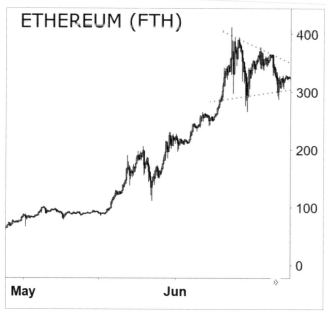

그림22 차트: Trading View

선 다음 돈이 굴러들어오길 기다리면 된다.

그러나 다른 트레이더들과의 싸움터에서 어떤 패턴이 형성되고 있는 과정을 지켜보다 보면, 여러분의 판단력은 다른 트레이더들의 의견이나 패턴의 불확실한 구조 때문에 쉽게 흐려진다. 그리고 어떤 패턴을 찾아냈는데, 나중에 그것이 다른 종류의 더 큰 패턴으로 변했음을 종종 깨닫기도 할 것이다. 과거의 패턴을 보며 아직 형성 중인 것처럼 생각하며 검증해보는 연습이 여러분에게 도움이 될 것이다. 이더리움을 예로 들어보자. 그림 22에서 2017년 5월과 6월을 살펴보겠다. 한 달도 채 안돼 가격이 네 배로 치솟았다! 가격이 이렇게 폭등하면 우리는 한동안의 횡보, 그리고 어쩌면 본격적인 폭락을 예상하곤 한다. 자 그럼, 이 다음에 무슨 일이 일어날지 단서를 찾아보자.

이것만 보면 대칭삼각형이 형성되는 것처럼 보인다. 알다시피 그렇게 되면 상향 혹은 하향 돌파로 이어질 수 있다. 7월에 무슨 일이 일어나는지 그림23에서 알아보자.

그림23 차트: Trading View

가격은 대칭삼각형을 하향 돌파해 하락세로 돌아섰다가 곧바로 회복한 후, 아래로 계속 흘러내리며 깃발형처럼 보이는 패턴을 형성한다. 하지만 이런 해석이 완전히 설득력 있는 것은 아니다. 깃발형은 대개 이전의 가격 상승과 비교해서 그리 오래 지속되지 않는다. 그래서 나는 이런 깃발형이라면 6월 말 이전에 크게 상향 돌파가 나오기 마련이라고 예상했는데, 7월에 와서 가격은 고점 대비 반토막 났다. 나는 좀 소심해졌지만, 이다음에 무슨 일이 일어나는지 알아보자.

아하! 마침내 그림24에서 명확해졌다. 이 모든 작은 패턴들은 큰 직각삼각형을 형성해가는 일부에 불과했다. 9월이 되자 11월의 돌파를 준비하는 큰 패턴이 모습을 드러내기 시작했고, 이어서 돌파선을 재시험하는 작은 깃발 모양이 나온 다음, 수직으로 상승하는 급등이 나왔다.

그림24 차트: Trading View

여기서 교훈은 어떤 개별적인 패턴에 너무 집착하지 말라는 것이다. 패턴은 확실한 표지판이 아니라 가능성을 나타낸다. 열린 마음을 가지고 여러 변화를 수용하고, 그런 변화에 따라 여러분의 예상을 바꿀 수 있도록 하라. 그렇게 하면 진정한 패턴이 모습을 드러낼 때 저항감 없이 받아들일 수 있을 것이다.

암호화폐의 펀더멘털

> *"시장은 단기적으로 투표기이지만, 장기적으로는 측량기이다."*
>
> *- 전설적 투자자 벤저민 그레이엄*

이미 알고 있겠지만, 나는 암호화폐 거래에서 펀더멘털에 의존하는 것을 별로 좋아하지 않는다. 암호화폐는 매출이나 이윤이 없으므로 진정한 내재가치를 명확히 정의하기가 매우 어렵다.

주식을 발행하는 기업은 평가하기가 쉽다. 그들은 분기별이나 반기별로 재무성과, 대차대조표, 연간 보고서를 발행한다. 여러분이 집중적으로 연구할 수 있는 확실한 정보가 많다. 어떤 투자자들은 대형 은행 분석가들의 눈에 띄지 않아 간과되어온 작은 회시들을 전문적으로 찾아다닌다. 이 회사들은 때로는 숨겨진 보석인 경우가 있는데, 그들의 주식이 싼 이유는 단지 아무도 주가가 얼마나 싼지 알아차리지 못했기 때문이다.

그러나 암호화폐가 상용화되려면 사람들이 코인이나 토큰을 사서 사용해야 하는데, 매수 행위 자체가 가격을 끌어올리는 경향이 있다. 그러므로 암호화폐는 상용화와 함께 가격이 상승하기 마련이라서 정말로 '싼' 암호화폐를 찾기가 매우 어렵다. 트레이더들은 주식에서와 마찬가지로 가격과 펀더멘털에서 괴리가 있는 맛난 먹거리를 찾으려 애를 쓴다.

이는 결코 펀더멘털을 살펴보는 것이 무의미하다는 뜻이 아니다. 여러분은 개발 초기 단계라 아직 인기가 없는 획기적인 암호화폐 기술을 발견할는지도 모른다. 그리고 그 기술이 성공하리라 확신한다면 장기적인 투자를 할 수도 있을 것이다. 하지만 나는 여전히 가격 차트에서 긍정적인 신호를 보이는 유망한 암호화폐만 매수하라고 조언해 주고 싶다. 획기적인 신기술이었지만 결국 폐기되고 마는 사례가 너무나 많다. 여러분의 전 재산이 그런 기술과 함께 폐기되는 걸 원치는 않을 것이다.

그러면 한 가지 예를 들면서 이 교훈을 마무리하겠다. 신사 숙녀 여러분, 여기 싱클레어 C5를 소개합니다.

1985년 1월 천재 발명가 클라이브 싱클레어 경은 자전거와 소형차를 대체하도록 고안된 혁신적인 전기자동차를 공개했다. 싸고, 빠르고, 시내로 쇼핑가기에 안성맞춤이었다. 차는 폭발적인 주목을 받으며 출시되었고 수백만 영국인들을 열광하게 했다.

출처: Prioryman (Wikimedia Commons)

안타깝지만 그 사람들 중에 실제로 차를 산 사람은 거의 없었다. 같은 해 말 싱클레어 비히클은 문을 닫고 막대한 부채를 남겼다. 여러분이 예비 투자자였다고 상상해보라. 그러면 이 독특한 신차로 얻게 되는

획기적인 기술, 미래형 스타일, 거부할 수 없는 재미를 검토해보았을 것이다. 그리고 싱클레어 개인에 대해서도 알아보고, 그가 세계 최초의 슬림형 포켓 계산기를 발명해 수백만 개를 판매하고, 영국 최초의 가정용 컴퓨터인 ZX81과 ZX 스펙트럼을 발명한 놀라운 경력도 갖고 있음을 확인했을 것이다. 싱클레어가 C5를 꿈꿨을 때는 이미 기사 작위를 받은 후였다. 그의 앞길은 아무도 막을 수 없을 것 같았다. 그러나 C5가 망한 후 큰 손해를 본 채권자들에게 그렇게 말할 수 있을까?

사업이나 주식, 암호화폐에서 확실한 것은 없다는 사실을 명심하라. 어쨌든, 획기적인 새 암호화폐에 대한 홍보으로 여러분은 숨이 막힐지 모른다. 하지만 일단 진정하고 숨을 고른 후, 가격 차트를 검토해보라.

암호화폐에도 펀더멘털이 있을까

절대 자신이 암호화폐 펀더멘털리스트라고 말하지 마라. 첫째는 순전히 펀더멘털을 기준으로 매매하는 것이 위험하기 때문이고, 둘째는 당국에 보고되어 관타나모 베이[3]로 보내질 수 있기 때문이다.

암호화폐의 펀더멘털을 어떻게 판단해야 할까? 첫 번째 질문 리스트는 다음과 같다. 이 암호화폐가 어떤 니즈를 만족시키는가? 왜 사람들이 이 암호화폐를 사용하려는 것인가? 잠재 시장은 얼마나 큰가?

비트코인의 경우 빠르고 저렴한 송금이라는 욕구를 충족시키고, 비용이 많이 드는 중개회사를 배제하고, 자금의 안전이나 보안을 유지하면서도 뱅킹 시스템을 완전히 우회 가능하다고 말할 수 있다. 잠재 시장은 세계의 모든 사람이다!

두 번째 질문은 과연 암호화폐는 상용화라는 야망을 충족시킬 수 있는가이다. 비트코인의 경우 대답은… '아마도'이다. 비용과 규모에 대한 어려운 문제들이 아직 많이 남아있다(이 글을 쓰는 현재까지는). 비트코인은 작은 규모에서는 문제없지만, 일단 많은 사람이 사용하기 시작하면 시스템이 느려지고 사용 비용이 비싸진다.

세 번째 질문은 다른 암호화폐들이 똑같은 것을 하지는 않는가이다. 분명 유사한 프로젝트들이 생겨나게 될 텐데, 그것들이 여러분이 관심 갖고 있는 암호화폐의 성공에 심각한 위협이 되지 않는가?

네 번째 질문은 개발자들이 얼마나 많은 암호화폐 코인이나 토큰을 만들어낼 계획인가이다. 총 공급량과 신규 토큰 생산 속도는 모두 암호화폐의 가격에 영향을 준다. 토큰이 시장에 넘쳐나면 각 토큰의 가치를 유지하기 어렵다.

다섯 번째 질문은 '괜찮은' 개발자들이 자신이 만든 실험 코드를 업로드하는 온라인 플랫폼인 깃허브[32]에서 다른 프로그래머들이 평가하고 개선할 수 있도록 얼마나 열심히 활동하는가이다. 만일 암호화폐의 개발자들이 이 번창하는 온라인 커뮤니티에 참여하지 않는다면, 아마 걱정이 좀 될 수밖에 없을 것이다.

이와 함께 비탈릭 부테린이 정확히 지적한 또 다른 중요한 질문은 다음과 같다.

---

32 테러와의 전쟁에서 체포된 사람들의 수용소가 있는 곳. 이슬람 펀더멘털리스트(원리주의자)에 빗댄 유머.-이하 옮긴이

33 Github, 소스코드를 관리하는 분산형 버전 관리 프로그램인 Git을 저장하는 웹사이트. 오픈코드와 무료 사용으로 많은 개발자가 이용하며, 2018년 MS사에서 인수하였다.

"프로젝트는 '왜 블록체인을 사용하는가?'에 대한 해답을 확실히 갖고 있어야 합니다."[33] 많은 프로젝트가 블록체인 없이도 잘 작동한다.(심지어 더 잘 작동하기도 한다!) 하지만 지금은 블록체인을 사용하는 것이 유행이기 때문에 어떻게든 블록체인에 새로운 앱을 붙여서 그 앱을 '탈중앙화'시키려는 프로젝트가 많다.

이 어려운 질문들에 답하려면 열심히 인터넷을 검색하고 여러분이 알고자 하는 특정 기술을 제대로 이해해야 한다.

엉터리 웹사이트에 속지 마라

출처: yetanotherico.com

펀더멘털보다는 기술적인 차트 기반 트레이딩에 더 초점을 맞추면서도 사기 암호화폐에 자금을 넣지 않으려면, 대부분의 단서는 암호화폐의 자체 웹사이트에서 찾을 수 있다.

내가 가장 좋아하는 사이트 중 하나인 yetanotherico.com을 검토해서 이 과정을 보여주겠다. 화면 캡처를 보자.

'Generate Another ICO' 버튼을 클릭하면 가짜 암호화폐 웹사이트가 임의로 생성된다. 진짜 암호화폐 웹사이트를 살펴본 적이 있다면, 대부분의 웹사이트와 무척 비슷하게 만들어지다는 걸 알 수 있다. CurrencySquid.io라는 주소는 꽤 괜찮아 보이지 않는가? 'private public ledger'[34]는 로봇들이 참 좋아할만한 이름이다. 다시 한 번 클릭해 보자….

설명에서 P2P(Peer to peer)가 나오기만 하면 무조건 최고일까? 그러면 암호화폐 투자하려는 사람으로서 DecentralizedDolphin.ai라는 페이지에서 우리는 어떤 단서를 얻을 수 있을까? 음, 첫째 그들은 '5D printers'의 철자를 잘못 썼는데, 이것은 나쁜 신호이다. 홈페이지의 철자조차 확인하는 사람이 없다면 소프트웨어는 얼마나 버그가 많을까? (훨씬 더 나쁜 신호는 5D 프린터 같은 것이 없다는 사실이지만, 일단 그 정도는 그냥 넘어가겠다.)

출처: yetanotherico.com

숫자로 표시된 줄은 그들이 바보 투자자들에게 토큰을 많이 파는 날인 ICO까지 남은 날짜, 시간, 분, 초를 표시한 것이다.

아래로 스크롤 하면 제품에 대한 설명이 나오고, 이런 수상한 암호화폐들이 어떻게 그들의 웹사이트를 위키피디아나 다른 암호화폐 사이트에서 베끼거나 훔쳐온 별것 없는 내용으로 채우는지를 꼬집는 문장이 보인다!

---

34 twitter.com/vitalikbuterin/status/832299334586732548

35 상반되는 프라이빗 레저(비공개 원장)와 퍼블릭 레저(공개 원장) 두 가지 종류를 함께 나열해서 엉터리라는 의미이다.-옮긴이

> ## DECENTRALIZEDDOLPHIN.AI이란 무엇인가?
> ### 우리는 5D 프린터를 위한 최초의 인지 스마트 계약을 할 것입니다!
>
> 우리는 쓸모없는 토큰을 방출하여 이 시장을 영원히 바꿀 것입니다. 토큰은 트랜잭션을 보호하고, 추가 유닛 생성을 통제하며, 자산 전송을 검증하기 위해 암호화를 사용하는 교환 매체로 작동하도록 고안된 디지털 자산입니다.
> 마지막 문장은 위키피디아에서 복사·붙여넣기 한 것으로 조금 수정되었지만 단지 텍스트로 블록을 채우기 위한 것입니다.

출처: yetanotherico.com

그리고 전문가팀의 화면이 나온다. 웹사이트에 올라온 사진의 실제 사람들이 얼굴을 붉히지 않도록, 그들의 웃는 얼굴을 에어브러시로 칠했다.

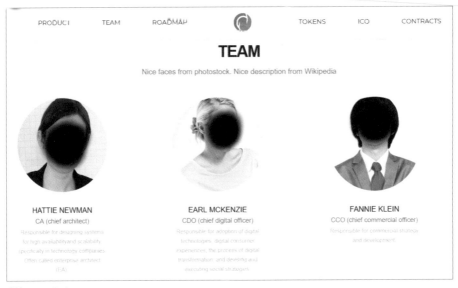

출처: yetanotherico.com

여기에서 중요한 교훈을 얻을 수 있다. 암호화폐 투자에 관심이 있다면 CEO와 다른 주요 경영진을 구글로 검색하고 그들의 자격과 배경을 확인해야 한다. 그들이 이전에 어떤 수상한 비즈니스에 연루되었는지 누가 알겠는가? 제일 좋은 방법은 암호화폐 또는 관련 분야에서 해당 기술 및 비즈니스 경험을 살펴보는 것이다. 소프트웨어 개발자와 엔지니어를 조사해 해당 화폐가 해당 분야에서 실제 그 분야에 종사하는 전문가들에 의해 개발되고 있는지 확인하는 것도 좋은 생각이다.

더 아래로 스크롤 하면 개발팀의 진척 상황과 목표를 보여주는, 꼭 필요한 로드맵이 올라와 있다. 그들의 목표가 흥미롭긴 하지만 현실적이고 달성 가능하긴한가? yetanotherico.com은 또다시 매우 현실적인 문제를 부각시켰다. 즉, ICO에는 부자가 되어 해변으로 영구 잠적하는 것 외에는 실제 목표가 없이 토큰만 팔려는 경영진이 너무나 많다는 사실이다.

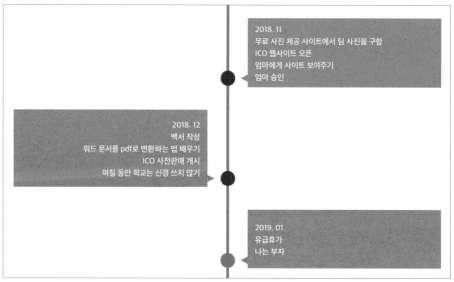

출처: yetanotherico.com

이제 마지막으로 이 사이트의 핵심인 문서에 대해 알아보겠다. **백서**(white paper)에는 암호화폐가 어떻게 작동하는지 이해할 수 있도록 기술자에게 필요한 모든 것이 담겨 있어야 한다. 가끔은 가짜 암호화폐도 용케 과학적인 양 사람들의 눈을 멀게 한다. 컴퓨터 전문가가 아니더라도 PDF 문서를 열어 잘못된 철자나 문법, 말이 안 되는 문장, 프로젝트 전체의 실제 요점을 설명하지 못하는 점 등 수상쩍은 부분들을 찾아볼 수 있다. 일단 이 문서들을 어느 정도 검토해 보면 진짜와 가짜를, 그리고 진짜 똑똑한 사람과 영리한 척하는 사람을 구별하는 법을 쉽게 배울 수 있을 것이다.

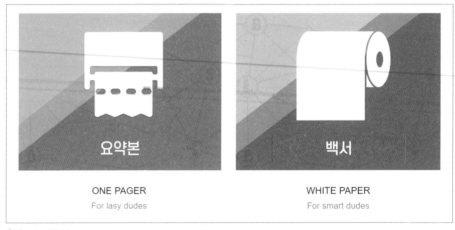

ONE PAGER
For lasy dudes

WHITE PAPER
For smart dudes

출처: yetanotherico.com

솔직히, 이 장난스러운 웹사이트조차 내가 방문한 대부분의 실제 암호화폐 사이트보다 더 전문적으로 보인다. 수상한 암호화폐 사이트를 조사하느라 짜증이 날 때는 yetanotherico.com을 방문해 기분을 전환한 후, 다시 한번 숨은 암호화폐 보석을 찾아 나서기를 진심으로 추천한다.

ICO는 신중하게 접근할 것

암호화폐공개(ICO)에 투자하는 것은 부(富)로 가는 빠른 길이 될 수도 있고 완전한 재앙이 될 수도 있지만, 특정 ICO가 어떤 방향으로 나아갈지 예측하기란 매우 어렵다. 2018년 말에 실시된 연구에 따르면 토큰의 70%가 ICO 기간의 공모가보다 낮게 평가된 것으로 나타났다.[35] 이는 많은 일반인이 돈을 잃었다는 의미이다. 그래서 나는 새로운 토큰이 대형 거래소에 상장되어 가격이 탄탄한 상승세를 보일 때까지 기다렸다가 매수하기를 선호한다.

하지만 여러분이 정말 좋아하는 새로운 프로젝트를 접하고, 모든 조사를 마쳤고, 투자하고 싶은 마음이 간절하지만 암호화폐가 아직 토큰을 출시하지 않았다고 해보자. 그럴 때 여러분은 ICO 공모에 참여하고 싶은 유혹을 느낄 것이다.

첫 번째 단계는 암호화폐 프로젝트의 자체 웹사이트를 통해 등록하는 것이다. 그런 다음 비트코인이나 이더리움을 사서 개인 지갑으로 전송해야 한다(제4장 참조). ICO 기간에 여러분은 자신의 BTC나 ETH를 프로젝트의 자체 지갑으로 보내는 방법과 여러분이 새 암호 토큰을 받는 방법에 대해 안내를 받게 될 것이다. 다행히 그들은 새 토큰을 저장하는 가장 좋은 방법에 대해서도 알려줄 것이다.

ICO가 사기 웹사이트가 아니라 진짜인지 최대한 주의를 기울여야 한다. 웹사이트 주소를 알아보고 제대로 쓰여 있는지 확인한다.('피싱' 웹사이트는 진짜와 똑같이 보이지만 가끔 웹사이트 주소에 잘못된 문자가 한두 개 섞여 있다.) 투자금은 일단 넘기고 나면 법적 보호를 받기가 거의 어렵다는 점을 명심하라. ICO는 일반적으로 전혀 규제를 받지 않으며 구매한 토큰은 어떤 가치가 있다는 보장이 없다.

겁나는 물건 아닌가? 여러분은 기본적으로 마법의 콩 한 줌을 받는 대가로 돈을 건네는 것이다. 하지만 그것이 바로 그들이 비트코인에 대해 말하던 바이다. 그러면 이제 그 물건에 대해 살펴보자.

NVT 비율

다음에 나오는 몇 개의 섹션은 상당히 기술적인(그리고 조금은 수학적인) 내용을 다룬다. 암호화폐의 펀더멘털을 바탕으로 금융모델을 찾으려는 최근의 몇몇 시도를 설명하기 때문이다. 이런 내용이 어렵다 해도 걱정할 필요 없다. 그냥 **사회적 감성 지표**(Social sentiment indicator) 섹션으로 넘어가도 별로 상관없다. 주식의 펀더멘털 애널리스트들은 기업이 얼마나 싸고 비싼지를 나타내는 여러 비율을 조사하는 것을 좋아한다. 이 비율들이 유망주를 선정하는 완벽한 방법은 아니지만, 최소한 가격이 이른바 공정 가치와 얼마나 차이가 있는지를 가늠하는 기준이 될 수는 있다. 가장 유명한 비율은 주가수익률(P/E)[37]이다.

$$\text{주가수익률} = \frac{\text{주가}}{\text{주당순이익}}$$

주가수익률은 주가가 주당수익(순이익)의 몇 배가 되는지 계산한 것이다. 일반적으로 성장이 느린(또는 줄어드는) 기업은 P/E가 10 미만이지만, 아주 빠르게 성장하거나 과대평가된 기업은 주가가 너무 높아서 P/E가 수백에 달하기도 한다. P/E가 낮

---

36 'Burning Billions: Tokens Cents on the Dollar Against Raised Capital'. diar.co/volume-2-issue-38
37 Price Earning Ratio, 보통 'PER'이라 쓰고 '퍼'라고 부른다.-옮긴이

다고 해서 반드시 기업의 주식이 싼 것은 아니지만, 만일 여러분이 P/E가 낮은데 성장이 빠르고 수익을 내는 작은 기업을 발견했다면, 좋은 주식을 저가에 매수할 좋은 기회를 찾은 것일 수도 있다.

물론 암호화폐는 그렇게 수익을 내는 기업이 아니다. 암호화폐의 가치는 네트워크의 성장과 네트워크가 얼마나 집중적으로 사용되는지에 달려 있으므로 윌리 우(Willy Woo)라는 암호화폐 전문가는 네트워크 가치 대 거래량 비율, 즉 NVT라는 비율을 생각해냈다.

$$\text{NVT 비율} = \frac{\text{네트워크 가치}}{\text{일일 거래량}}$$

네트워크 가치는 주식의 시가총액과 같다. 즉, 해당 암호화폐의 발행된 모든 토큰 및 코인을 합한 총가치를 말한다. 일일 거래량은 해당 암호화폐를 사용하여 발생하는 모든 거래의 달러화 가치이다.

물론 암호화폐의 가격이 점점 더 높게 평가되면서(네트워크 가치가 커짐으로써) 이 비율이 커지는 것이 가장 좋을 것이다. 그러나 여기에는 커다란 문제가 있다. 앞서 언급했듯이, 암호화폐가 더 비싸지면 거래도 증가하는 경향이 있다.(더 많은 사람이 암호화폐를 사면 거래량도 늘지만, 가격 역시 오르기 때문이다.) 따라서 암호화폐 붐이 일어나는 동안 NVT 비율은 우리의 예상처럼 반드시 오르지는 않는다. 왜냐하면 네트워크 가치와 거래량이 함께 증가하기 때문이다.

그림1에서 보면 NVT의 최고섬은 비드코인 가격의 최고점 이후 어느 정도 시간이 지나서 나오는 경향이 있음을 알 수 있다. 이때문에 과대평가를 경고하는 신호로서 NVT를 활용하기엔 제한이 있다. 하지만 코인 가격이 폭락하는 경우에도 NVT 비율을 상향으로 밀어 올리는 것이 흥미로운데, 그 이유는 거래 활동이 가격보다 훨씬 빨리 내려가는 경향이 있기 때문이다. 결국 NVT는 2014년 폭락 후 몇 달이 지나서야 마침내 떨어지기 시작했다. 이는 향후 폭락 이후에 바닥을 찾는 데 유용한 지표가 될 수 있다. 즉, NVT가 정상 수준으로 떨어지면 가격이 회복할 준비를 하는 신호로 받아들일 수 있다.

NVT 비율을 다른 암호화폐에 적용해서 실험해 보고 싶다면, 이용 가능한 NVT 모델이 있는 coinmetrics.io을 방문하면 된다.

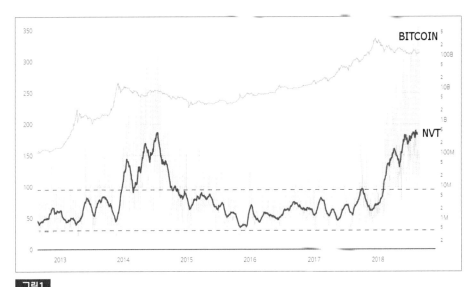

그림1

출처: Woobull.com

NVM 비율

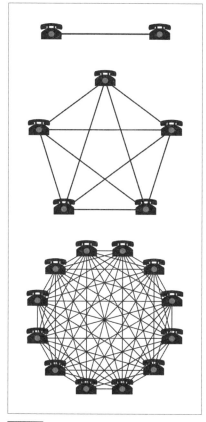

그림 2

이 비율은 크립토랩 캐피털[38]과 스탠퍼드 대학 학자들이 최근에 고안한 더 복잡한 비율이다. **NVM**은 **network value to Metcalfe**(네트워크 가치 대 멧커프)의 약자이다.

NVM 비율은 컴퓨터 네트워크의 영향을 추정하는 데 사용되는 수십 년 된 개념인 멧커프의 법칙에서 시작된다. 멧커프의 법칙은 "통신 네트워크의 효과는 시스템에 연결된 사용자 수의 제곱에 비례한다"라고 말한다. 다시 말해 네트워크 사용자 수를 제곱하여 네트워크의 효과를 알아낼 수 있다.

그림2는 새로운 사용자가 추가될 때마다 전화 네트워크의 유용성이 얼마나 많이 증가하는지 보여준다. 사용자가 두 명뿐이면 하나의 연결만 가능하지만, 다섯일 경우 열 개의 서로 다른 연결이 가능하다.

---

38 Cryptolab Capital, 기초 학술 연구와 블록체인 분석 기술을 결합하여 가상 자산에 투자하는 회사.-옮긴이
39 Ken Alabi, Stony Brook University, 2017. 'Digital Blockchain Networks Appear To Be Following Metcalfe's Law'.
    www.sciencedirect.com/science/article/pii/S1567422317300480

암호화폐 네트워크도 분명 이와 비슷한 방식으로 유용성이 커질 것이고, 과학자들은 비트코인의 가격 상승과 비트코인의 네트워크 채택에 적용되는 멧커프의 법칙 사이의 상관관계를 알아냈다.[38] 크립토랩 캐피털은 멧커프의 법칙과 네트워크 가치 개념을 결합하여 NVM 비율을 만들었다.

NVM은 NVT와 비슷하지만 좀 더 미래의 결과를 보여주는 경향이 있다. NVM이 차트 상단을 향해 어두운 영역으로 들어갈 때마다 암호화폐가 과대평가되었다는 신호로 간주할 수 있다. 그림3은 NVM이 2014년과 2018년의 폭락과 2013년의 큰 조정을 앞두고 경고 신호를 보내는 것을 보여준다.

생산 비용 모델

NVT와 NVM은 모두 수요 기반 모델이며 얼마나 많은 사람이 암호화폐를 사용하고 있는가에 따라 어느 정도 변동이 있다.

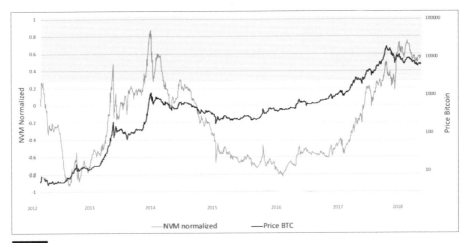

그림3

이제 공급 기반 모델을 살펴보자. 경제학자 아담 헤이즈는 비트코인 채굴 비용에 관한 논문에서 이렇게 결론지었다. "비트코인 생산 경쟁은 효율성을 높이고 경쟁 우위를 창출하기 위해 점점 더 많은 기술 발전을 유도하므로 비트코인의 시장 가격을 낮추는 역할도 할 것이다."[40] 다시 말해 채굴자들이 더 싸게 생산할 방법을 찾으면서 비트코인 가격에 대한 상승 압력이 줄어들게 된다는 것이다.

하지만 헤이즈는 그게 그렇게 간단하지 않다는 것도 인정한다. 사토시 나카모토는 난이도 측정 기준을 교묘하게 포함함으로써 신규 채굴자가 비트코인으로 많이 몰리면 채굴이 자동으로 어려워지고 비용이 커져 손익분기점이 올라가도록 했다. 마찬가지로 비트코인 가격이 하락하고 채굴자들이 경쟁에서 손을 떼면 비트코인의 채굴 메커니즘이 조정돼 채굴이 쉬워지고 비용은 낮아진다.

비트코인 가격이 크게 떨어질 때마다 자연 가격[41]의 바닥이 다가오고 있다는 목소리가 터져 나온다. 왜냐하면 가격이 곧 채굴 생산 비용 아래로 떨어질 것이고, 수익성이 없다면 채굴자들은 곧바로 채굴을 멈추어 전체 네트워크가 중단될 것이기 때문이다!

그러나 난이도 조정은 그런 일을 피할 수 있음을 의미한다. 채굴자들이 빠져나가면 난도가 낮아져 채굴 비용이 저렴해지므로 새로운 채굴자들이 합류해 네트워크가 멈추는 것을 막기 때문이다. 결론적으로 생산 비용은 비트코인의 가격을 결정하지 못한다.

---

40 Adam S. Hayes, The New School for Social Research, 2015. 'A Cost of Production Model for Bit-coin'. www.economicpolicyresearch.org/econ/2015/NSSR_WP_052015.pdf
41 natural price, 수요와 공급이 오랫동안 안정적으로 균형을 이룰 때 형성되는 가격.-옮긴이

사회적 감성 지표

이것은 엄밀히 말해 필수적인 펀더멘털 지표도 아니고, 한 장 전체를 할애할 만한 주제는 아니므로 괜찮다면 여기에서 설명하고자 한다.

많은 기업이 비트코인과 기타 암호화폐에 대한 '사회적 감성 지표(Social Sentiment Indicator, SSI)'를 자체 개발하느라 분주하다. 이 지표들은 소셜미디어에서 사람들이 흥분해서 날뛰기 시작하면 종종 가격 상승이 뒤따른다는 생각에서 비롯된 일종의 변형 지표들이다.

가장 먼저 출시된 것 중 하나는 핍스터(Pipster) 트레이딩 앱을 개발하는 피나텍스트(Finatext) 팀의 '비트코인 사회적 감성 지표'(Bitcoin Social Sentiment Indicator)이다. 개발자 라이언 옹(Ryan Ong)은 다음과 같이 말한다.

"SSI 툰은 소셜 미디어에 올라오는 수천 개의 게시물에서 세계 여론을 매시간

그림4

출처: Finatext

효과적으로 수집합니다. 머신 러닝을 통해 우리는 비트코인과 관련하여 커뮤니티의 여론이 긍정적인지 부정적인지 평가할 수 있습니다. 현재의 암호화폐에 대한 인식, 그리고 때로는 투자까지 주로 사회적 상호작용이 주도한다는 것을 고려하면, 이런 여론은 온라인에서 사람들 생각의 추세를 알 수 있는 좋은 방법입니다."

금융연구업체 마켓사이크(MarketPsych)는 이 분야의 또 다른 선구자이다. 이들은 소셜미디어뿐만 아니라 미디어와 뉴스 사이트에서 나오는 의견의 특성을 정량화하는 이른바 시장위험지수(MarketRisk Index)를 개발했다.[42]

놀랍게도 결과를 검토해보니 이 두 가지 감성 툴 모두 암호화폐 움직임에 대해 어느 정도 예측력을 가진 것으로 나타났다. 사람들의 정서는 정말로 가격이 방향을

그림5

출처: MarketPsych

---

42 www.marketpsych.com/newsletter-content/70

바꾸기 전에 변하기 시작하는 경우가 많다. 게임 초반에 암호화폐에 진입하는 우리 같은 트레이더들에게는 반가운 소식이다. 이런 툴은 아주 새롭고 실험적이어서 아직 널리 사용되지는 않는다. 그러나 널리 사용되더라도 실제로는 예측력이 어느 정도 떨어질 수 있는데, 잠정 수익에 대한 차익 실현이 나오기 때문이다. 다시 말해 프로 트레이더들이 이 지표에서 신호를 보는 순간 행동에 나서, 순식간에 수익을 챙겨가버리기 때문에 일반 트레이더들은 보통 기회를 놓친다. 하지만 우리에게는 다행스럽게도 프로 트레이더들은 아직 본격적으로 나서지 않았다.

뉴스를 믿지 마라

최고의 프로 트레이더 중에는 자기 사무실에서 경제 뉴스를 금지하는 이들도 있다. 사실인지 의심스럽겠지만 이 사람들에게는 무소식이 희소식이다. 하지만 이들은 어둠 속에서 매매하고 있는 게 아닌가? 어떻게 세상 돌아가는 걸 모른 재 거래를 할 수 있단 말인가?

뉴스의 가장 큰 문제는 뉴스가 너무나 많다는 것이다. 최고 경제학자들조차 대개 경제가 어디로 향하고 있는지 도통 예측하지 못하는데, 고려해야 할 요소들이 너무 많고 시사 문제를 해석하는 방법도 너무 다양하기 때문이다. 경제학자들은 뒤늦게야 "아! 소비자 부채가 핵심 요인이었구나. 그게 경제를 벼랑 끝으로 내몰았어."라고 말할 수 있다. 그러나 어떤 일이 실시간으로 발생하는 동안에도 그것이 소비자 부채 때문인지, 실업이나 생산성 때문인지, 아니면 미래 경제의 핵심 동력이 될 백여 가지 요인 중 하나 때문인지 파악하는 것은 - 불가능하지는 않지만 - 너무나 어렵다.

금융 시장도 마찬가지다. 비트코인이 약세장일 때마다 사람들은 설명이 될 만한 뉴스를 찾는다.

"아, 한국 정부가 암호시장에 새로운 규제를 시행할지도 모르기 때문에 비트코인이 떨어지고 있어",

"아, 예정된 비트코인 네트워크 업그레이드가 연기되었기 때문이야."

하지만 흥미로운 것은 비트코인이 강세장일 때는 나쁜 뉴스가 크게 영향을 못 미친다는 사실이다. 예를 들어보자. 2017년 9월 중국은 ICO와 비트코인 거래소를 금지했다. 충격적인 뉴스였다. 중국은 세계 암호화폐 시장 개척의 중심지였는데, 이제 모두 중단될 예정이었다. 그러나 발표가 있고 난 뒤 몇 주 만에 비트코인은 사상 최고가를 기록했다! 시장이 너무나 강해서 핵전쟁이 아닌 이상 이 강세장을 바꿀 수 없었기에 그런 심각한 뉴스도 문제가 되지 않았다.

여러 해 동안 내가 TV 비즈니스 리포터로 일했다는 사실을 기억하는가? 그러면, 여기서 뉴스 비즈니스가 실제로 어떻게 진행되는지 살펴보자.

뉴스 편집자: 글렌, 시장이 30포인트 하락했어요. 사람들에게 이유를 알려주세요.

글렌: 하지만 이유가 분명치 않습니다.

뉴스 편집자: 그러면 이유를 찾아야죠.

30분 후…

글렌(생방송 중): 오늘 시장이 30포인트 내렸습니다. 인플레이션 수치가 다시 올랐기 때문인데, 일부 애널리스트에 따르면 그 수치가 우려할 정도로 높은 수준이라고 합니다.

한 달 후…

뉴스 편집자: 글렌, 시장이 30포인트 올랐어요. 사람들에게 이유를 말해주세요.

글렌: 하지만 이유가 분명치 않습니다.

뉴스 편집자: 그러면 이유를 찾아야죠.

30분 후…

글렌 (생방송 중): 오늘 시장이 30포인트 올랐습니다. 인플레이션 수치가 다시 올랐기 때문인데, 일부 애널리스트에 따르면 이 수치는 건전한 수준이라고 합니다.

　　뉴스 기자들은 무슨 말이든 해야 한다. 그게 기자가 하는 일이니까. 그리고 그늘은 언제나 오늘의 시장 동향에 맞는 의견을 가진 금융 애널리스트를 찾을 수 있다. 기자가 "오늘 금융계에서는 별다른 일이 없었습니다"라고 말한다면 대체로 해고 사유가 된다. 따라서 관심이 있는 암호화폐를 조사할 때는 반드시 뉴스와 칼럼을 두루 읽되, 정신적·감정적 거리를 두도록 노력해야 한다. 그렇게 얻은 정보를 배경지식으로 삼아 가격 차트를 살펴보라.

　　위험한 것은 조사한 암호화폐를 매수한 후 그것이 많은 수익을 냈을 때, 차트가 이지 완벽하게 건강해 보이는 데에도 포럼에서 어떤 선정적인 뉴스 기사나 안 좋은 소문을 듣고 공황 매도를 하는 것이다. 이 때문에 여러 일류 트레이더들이 가능하면 뉴스와 소문을 멀리하려는 것이다.

사람이 시력을 잃으면 다른 감각들이 더 예민해진다고들 한다. 트레이더가 뉴스를 접하지 못하게 되면 어떻게 될까? 트레이더는 차트를 더 명확하게 읽을 수 있게 된다. 최근에 읽은 기사나 의견 때문에 생기는 잘못된 선입견 없이 패턴을 찾아내고 진정한 추세를 발견할 수 있는 것이다.

만일 어떤 암호화폐의 펀더멘털에 뭔가가 심각하게 잘못되어 간다면, 그 사실은 프로젝트 내부자들이 조용히 보유 자산을 매각하며 가격을 끌어내릴 때 이미 알 수 있을 것이다. 보통 추세는 미디어에서 뭔가 잘못되었다고 보도하기 훨씬 전부터 꺾이기 시작한다.

결론은 가격이다. 여러분이 알아야 할 모든 것은 가격에 있다.

09

나의 최고의
암호화폐 매수 사례

이제 분석 도구는 모두 준비되었다. 내가 어떻게 암호화폐를 최고로 잘 매수했는지 살펴보자.[43]

산티멘트(SAN)

산티멘트는 대부분의 트레이더들이 모르는 작은 암호화폐지만, 2017년 내 최대 수익 중 하나인 400%의 수익률을 한 달 안에 안겨줬다.

펀더멘털 조사 결과, 산티멘트는 경영진이 건실해 보였고 암호화폐 트레이더를

---

43 나는 어떤 경우에는 대 달러가 아니라 대 비트코인(예를 들어, SAN/BTC)으로 이 암호화폐들을 매매했지만, 가장 정확한 기술적 분석은 여전히 유동성이 가장 큰 달러 암호화폐 페어를 사용하여 이루어지므로 여기에서는 달러 페어를 살펴보겠다.

위한 데이터 분석 툴을 개발하는 현실적인 계획이 있었다. 분명히 이 시장에서 치열한 경쟁에 부딪칠 것이고 성공한다는 보장은 없었다. 하지만 토큰 공급에 상한이 정해져 있어서 향후 수량 증가에 따른 가격 희석은 없을 것이었다. 대체로 괜찮아 보였지만 사업 계획이 마음에 쏙 들었다고는 할 수 없다. 그럼에도 내가 끌렸던 것은 그림1에서 볼 수 있는 3개월간의 멋진 쐐기형 패턴이었다. 가격은 10월에 **플래시 크래시**(flash crash) - 일시적인 집중 매도로 인한 가격 급락 - 를 겪었지만 즉시 회복했고 원래의 쐐기형 패턴으로 돌아왔다. 같은 패턴으로 돌아왔다는 사실은 이 패턴이 단단히 자리를 잡았고, 결국은 극적인 돌파가 나올 가능성이 크다는 뜻이었다.

나는 가격을 주의 깊게 지켜봤지만, 첫 번째 돌파가 너무 약했기 때문에 그 지점에서 매수하지 않았다. 가격은 며칠 동안 돌파선 가까이에서 움직이다가 마침내 매수세에 굴복했고, '진짜' 돌파가 나오자 나는 매수했다. 가격은 두 배 올랐다가 또다시 두 배로 올랐고, 1월 초까지 계속해서 두 배씩 올랐다.

그림1 차트: Trading View

리플(XRP)

비슷한 시기에, 나는 확실하게 자리 잡은 오래된 블록체인 프로젝트인 리플의 고유 암호화폐 XRP에 많은 관심을 갖게 되었다. XRP는 리플랩스(Ripple Labs) 팀의 전문성 덕분에 엄청난 잠재력이 있었다. 그들은 금융계를 변화시킬 만한 새로운 결제 시스템을 개발하기 위해 주요 은행들과 협력해왔다. 물론 XRP 토큰이 리플과 협력하는 대형 은행들에서 널리 사용될 수 있을지는 여전히 의문이긴 하다. 또 하나 우려되는 것은 리플랩스가 여전히 (이 글을 쓰는 현재) 이 토큰의 절반 이상을 통제하고 있다는 점이다.

어쨌거나, 이런 장기적인 걱정은 일단 접어두고, 우선 그림2의 멋진 쐐기형을 살펴보자!

그림2 차트: Trading View

그림2는 3개월간의 준비기간을 거친 후 폭등이 나오면서 한 달이 채 안 돼 내게 450%의 수익을 안겨준 차트이다! XRP를 꼭대기에서 거의 다 팔고 상당한 수익을 챙겼기 때문에 XRP 토큰의 장기적인 효용에 대한 걱정은 나의 주 관심사가 아니었다. 한번 빠져나가면 나는 뒤를 돌아보지 않고 다음 기회를 노린다.

네오(NEO)

NEO는 단순한 화폐를 넘어 '중국의 이더리움'으로 불리지만 몇 가지 큰 차이가 있다. 설립자인 다 홍페이(Da Hongfei)는 기존 방식과 신기술을 융합하는 하이브리드 시스템을 구축하고 있다고 말한다.

"우리는 기존 시스템을 대체하려는 게 아니라 통합하려고 합니다. 분산형 솔루션뿐만 아니라 하이브리드 솔루션도 더 많이 구축해야 한다고 생각합니다."[44]

네오는 달러나 유로, 파운드와 같은 '기존' 통화를 시스템에 사용할 수 있도록 허용하며 중앙화된 신분 인증과 적법성을 갖출 것이다. NEO의 목적은 전자계약을 지배하는 것이다. 대부분의 법적 계약이 블록체인에 코딩되는 미래를 그려보라. 비평가들은 법적 계약이 컴퓨터 코드로 변환하기에는 너무 복잡하고 미묘한 경우가 많다고 주장한다. 하지만 미래학자 대니얼 제프리스는 이렇게 말한다.

"계약은 사실 조건문을 모아놓은 것일 뿐입니다. 이런 일이 생길 경우 이런 일이 생긴다, 3년 동안 회사에 이렇게 저렇게 재직하는 자는 이 정도의 주식을 받는다, 누가 이 조항을 위반한다면 벌칙은 이렇다… 그러므로 법체계를 실제 코드로 변환하

---

44 www.techinasia.com/talk/neo-approach-decentralization

는 것은 전혀 놀라운 일이 아닙니다. 스마트 계약은 아직 다소 원시적이지만 앞으로 복잡성과 효용성이 폭발적으로 증가할 겁니다."[45]

　NEO는 법정통화와 적법성이라는 구세계로 연결하는 다리를 놓음으로써 스마트 계약을 위한 플랫폼으로 선택되고자 한다. 국가 통화를 사용하기 때문에 네오의 자체 코인은 이더리움이 이더리움 네트워크를 구동하는 방식으로 블록체인의 운영에 동력을 공급하지는 않는다. 네오 코인은 오히려 기업의 주식처럼 작동한다. 네오 코인의 절반은 아직 회사에서 보유하고 있다.

　NEO는 암호화폐 세계에서 장기적으로 큰 성공을 거둘 수 있다. 물론 암호화폐를 매수할 때 나는 프로젝트의 장기적인 전망을 부수적으로 고려하긴 한다. 내 목표는 돈을 버는 것이지 매수하고 보유하면서 기도하는 게 아니다.

　그림3은 3개월 동안 진행된 대칭삼각형을 보여준다.

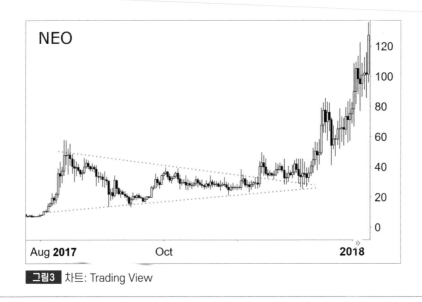

그림3 차트: Trading View

---

45 hackernoon.com/is-neo-the-one-67799886b78f

위아래가 대칭적이기 때문에 미래 방향성에 대한 단서를 주지는 않지만, 암호화폐가 강세장이었으므로 상향 돌파가 나올 가능성이 더 커 보였다. 그러나 나는 돌파 자리를 놓쳤다.(왜 그랬는지 기억이 나지 않지만, 중요한 미팅 때문으로 생각한다. 아니면 앵그리버드 게임을 하느라 그랬는지도 모른다.) 앞서 살펴본 것처럼 놓친 돌파를 쫓는 것은 좋은 생각이 아니다. 따라서 나는 기다렸고 다행히도 가격은 내려가 거의 한 달 가까이 저항선을 따라 움직이다 마침내 더 확실한 돌파가 나왔다. 이번에는 놓치지 않았다. 여러 거래소에서 내가 매수한 네오를 합치면, 한 달 동안 총 200% 이상의 수익을 얻었다.

여러분이 여전히 매수해서 보유하고 싶은 마음이 든다면 네오는 장기적으로 유망한 후보로 보일지 모른다. 그렇지만 만일 내가 200%의 수익을 은행에 넣지 않고 장기간 보유했다면 어떻게 되었을까? 자, 그림4가 보여주듯이 2018년 8월 네오는 내가 처음에 구매했던 가격의 절반 이하로 떨어졌다! 200%의 수익을 누리는 대신

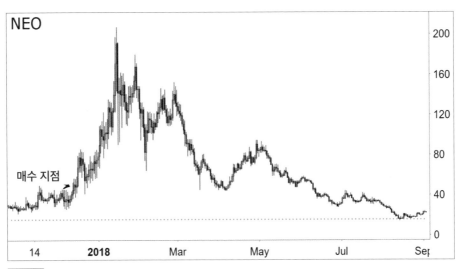

그림4 차트: Trading View

60%의 손실을 감수해야 했을 것이다.

아마도 언젠가는 네오가 2018년 1월 고점보다 훨씬 더 높게 상승할 것이고, 그렇게 되면 나는 다시 200%의 수익을 올릴 것이다! 한마디로 말해서, 이것이 내가 매수해서 보유하지 않고 큰 추세에 올라타는 이유이다.

비트코인(BTC)

앞서 나는 영국에 스프레드 베팅이라는 매력적인 것이 있다고 언급했는데, 그것이 매력적인 이유는 수익에 세금이 전혀 부과되지 않고 모든 종류의 금융상품을 거래할 수 있기 때문이다!

안타깝지만 이 글을 쓰는 현재 대부분의 스프레드 베팅 플랫폼에서는 거래 가능한 암호화폐가 몇 가지뿐이므로 나는 대부분 시간을 비정규 거래소에서 보낸다. 하지만 비트코인을 거래할 때는 대부분 스프레드 베팅 플랫폼을 이용했는데, 거기서 돈을 많이 벌었고 세금은 한 푼도 낼 필요가 없었다.[46]

우리는 이미 7장에서 비트코인의 가장 좋은 진입 지점 몇 개를 검토했다. 장기적으로 강력한 상승 추세에 있는 암호화폐는 보통 수익을 낼 수 있는 진입 기회를 많이 제공한다.

---

46 스프레드 베팅(Spreading Betting)은 보통 투자로 인식되지 않아서 이익에 대한 세금이 면제된다. 도박으로 보고 금지한 나라도 있다. 영국에서 특히 인기가 있으며 유명한 스프레드 베팅 플랫폼으로는 Spreadex, FXCM, IG, City Index, 등이 있다.-옮긴이

이더리움(ETH)

이더리움은 내게는 작지만 좋은 또 하나의 수입원이다. 더구나 이더리움은 환상적이고 혁명적인 기술 덕분에 장기적으로 가장 유망한 암호화폐 중 하나라는 확신을 주기도 한다. 많은 지지를 얻는 만큼 이 플랫폼과 토큰을 이용하는 새로운 프로젝트도 많이 구축되고 있다. 이 모든 것이 이더리움 생태계의 장기적인 생존 전망을 높여주고 있는 가운데 많은 독립적인 프로젝트들이 현재 이더리움에 사활을 걸고 있다. 그리고 이더리움의 운영 문제에 관해서는…. 자, 누가 이 얼굴을 믿지 않겠는가?

출처: Romanpoet

그동안 이더리움은 좋은 매수 지점이 많았지만, 그중 몇 가지만 살펴보자. 그림5는 2016년 초 이더리움 역사상 최초의 큰 가격 돌파 중 하나를 보여준다. 대칭삼각형이기 때문에 위아래 어느 쪽으로든 움직일 수 있었지만 1달러에서의 상향 돌파는 대대적인 상승장의 시작을 알렸다. 첫 번째 돌파 이후 이어서 대칭삼각형이 나왔으며, 이것이 2월에 곧바로 상승세로 돌아섰다.

그림6에서처럼 차트를 줌 아웃해서 더 오랜 기간 보기를 선택하면, 앞쪽의 삼각형 두 개 이후로 점선으로 표시된 하향 깃발형이 나오는 것을 볼 수 있다. 가격은 2월 고점을 찍고 흘러내리면서 깃발형을 형성하지만, 상승 압력으로 다시 올라가 직각삼각형을 만든다(깃발형을 포함하면서). 이 직각삼각형의 저항선은 3월 초 강력한 돌파가 나오면서 뚫린다.

다음 단계에서는 그림7에서처럼 약 15.50달러의 고점이 나온다. 가격은 단 몇 달만에 1,450%의 놀라운 상승률을 보인 후, 보합 기간을 거치고 다시 이전의 직각삼각형의 저항선인 약 7달러까지 내려간다. 그리고 나서 회복하면서 훨씬 더 큰 새로

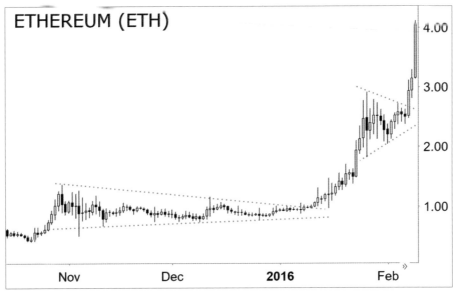

그림5 차트: Trading View

운 직각삼각형을 형성한다.

6월에 돌파가 나오지만, 이번에는 가격이 빠르고 강력하게 하락 반전한다. 이렇게 돌파가 실패로 끝난 후, 수개월 동안 긴 횡보가 지속된다.

그림6 차트: Trading View

그림7 차트: Trading View

여기서는 기술적 분석이 절대적으로 중요하다. 왜냐하면 이 기간에 비트코인이 상승세여서 많은 트레이더가 이전의 수익에 이끌려 이더리움을 매수했지만, 가격은 뚜렷한 이유 없이 도무지 상승하지 않았기 때문이다. 설상가상으로 이더리움은 2016년 12월까지 하락해 결국 지난 2월에 돌파했던 저항선까지 떨어졌다(그림8 참조).

많은 트레이더가 2016년 하반기 동안 15달러 안팎에 이더리움을 열심히 사들였지만, 7달러까지 서서히 떨어지는 고통을 감수해야 했으며 투자금의 절반 이상을 잃었다.

그러나 매수하는 대신 기술적 분석을 존중했더라면, 여러분은 느긋하게 기다리며 대칭삼각형이 아래로 뚫릴 때까지 관망했을 것이다. 현재 상황이라면 결코 이더리움을 매수하지 않았을 것이다. 여러분이 시장에서 나와 적절한 진입 지점을 끈기있게 기다리고 있었다면 이제는 진입하기 편안한 포지션이다. 여러분은 이더리움을 15달러에 매수해서 7달러까지 보유하고 있던 사람들과는 달리 편안하게 잠을 이룰 수 있을 것이다.

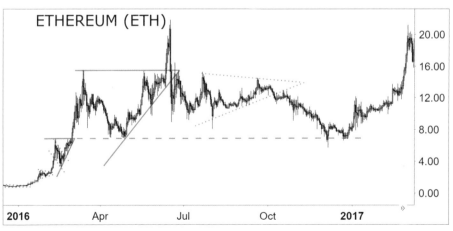

그림8 차트: Trading View

첫 번째 적절한 매수 신호가 2017년 2월에 마침내 나타났다. 그림9는 가격이 이전 저항선을 터치한 후 반등함으로써, 장기적인 상승세가 이런 몇 달간의 조정에도 여전히 훼손되지 않았음을 확인해준다. 그 후 가격은 직각삼각형을 형성했고 2월에 돌파가 나오자 다시 한번 아찔한 상승을 시작했다. 그림10에서는 그림9의 모든 움직임이 수평선으로 압축되어 나타난다.(잘하면 직각삼각형의 점선을 여전히 알아볼 수 있을지도 모르겠다.) 가격은 불과 4개월 만에 돌파 가격인 12달러에서 무려 450달러까지 올랐다.

이렇게 급등이 나온 후에는 또 한 번 긴 조정이 필요했다. 시장은 트레이더들이 ETH를 팔아 수익을 일부 실현하면서 한숨 돌릴 필요가 있었다. 6개월 동안의 직각삼각형(그림11) 패턴은 마지막으로 거의 1,500달러까지 폭등하는 기염을 토하고 마침내 강세장이 멈췄다. 이로써 인류 역사상 최대의 강세장 중 하나가 막을 내렸다. 그 어떤 찬사로도 이때의 초강세장을 충분히 설명하지 못할 것이다.

그림9 차트: Trading View

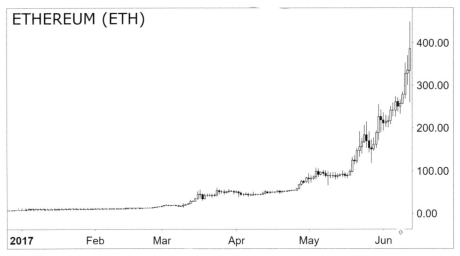

그림10 차트: Trading View

그림11 차트: Trading View

매수가 전부가 아니다

이런 예들을 공부하면 유력한 매수 지점을 찾아내는 방법을 잘 이해할 수 있을 것이다. 여기까지는 쉬운 부분이었다.

언제 팔아야 하는지 모른다면 트레이딩은 아무런 소용이 없다. 이 중요한 주제에 대한 논의가 얼마나 부족한지 정말 놀라지 않을 수 없다. 솔직히 이 장에서 내가 설명한 돌파 지점에서 매수하는 법은 인터넷에서 찾을 수 있는 수많은 차트 해설과 비슷하지만, 다음 장에서는 언제 매도할지를 결정하는 난해한 기법에 대해 알아보겠다. 구글에서 '암호화폐 매도 시기'를 검색하면 수십 년 동안 시장에서 살아남아 성공하는 법에 대해 아무것도 모르는 사람들의 끔찍한 충고를 하루 종일 읽게 될 것이다. 이런 '전문가'들 대부분이 2018년 12월과 1월에 "팔지 마!"를 외쳤는데, 이는 그들의 추종자들이 힘들게 모은 돈 대부분을 날린 끔찍한 충고였다.

다음 장에서 배우게 될 기법들은 전문가들에게 매년 돈을 벌 수 있게 하는 동시에 (결정적으로) 큰 폭락에서 별다른 자본 손실 없이 살아남을 수 있게 해주는 것들이다. 다음 장 하나만으로도 이 책을 구입한 충분한 가치가 있다. (혹시 해적판을 읽고 있다면, IP 주소를 추적해 잡으러 갈 수 있으니 조심하시라.)

매도 시기 판단하는 법

10

"추세는 여러분의 친구다. 마지막에 꺾이기 전까지는"

무명 트레이더

자, 여러분은 좋은 암호화폐를 매수했다. 완벽한 돌파 지점에서 샀고 가격은 몇 주째 상승하고 있다. 그러나 암호화폐가 흔들리기 시작한다. 가격이 한동안 위아래로 출렁거리더니 떨어지기 시작한다. 팔고 수익을 챙겨야 할까? 아니면 가격이 회복할 수도 있으니 보유해야 할까? 이는 트레이딩에서 사라지지 않는 영원한 질문이다.

그러면 해답은…. 쉬운 해답이란 없다. 이 딜레마에 대한 완벽한 해결책은 없다. 두 가지 방법 중 어느 쪽을 선택해도 때로는 실망하고 좌절하게 될 것이다. 그러나 좋은 소식은 여러분이 적용할 만한 규칙들이 있다는 사실이다. 이 규칙들은 비록 좌절감을 모두 해소해 주지는 못하겠지만 여러분이 결정을 쉽게 내릴 수 있게 하고,

그림1

수익을 모두 잃지 않도록 해줄 것이다. 좌절감은 극복할 수 있지만 극심한 가난은 극복하기 훨씬 어려운 법이다.

그림1은 5장에서 나온 차트로 추세 트레이더를 위한 전형적인 매수 및 매도 지점을 보여준다. 추세 트레이더 중에는 이 매도 지점보다 조금 더 일찍 파는 이들이 있지만, 대다수는 그 지점 이후에 매도한다. 그러나 일반적인 원칙들은 항상 동일하다. 즉, 추세가 꺾일 때까지 기다렸다가 좋은 매도 지점을 찾는 것이다. 그러면 추세 꺾임을 파악하는 전략에 대해 살펴보자.

이동평균선 활용하기

성공한 많은 트레이더가 이동평균선과 관련된 규칙들을 세우고 그런 규칙들에 해당하면 매도한다. 6장에서 논의했듯이 이동평균선(MA)은 단기 가격 변동을 매끄럽게 다듬어 장기 추세를 보여주는 차트 위에 그린 선이다. 매일 과거 여러 날의 가격 평균을 보여주는 것일 뿐이므로 항상 현재 가격보다 다소 뒤처지는 후행 지표이다.

2015년 말 완벽한 돌파가 나온 날에 비트코인을 매수했다고 가정해 보자. 그림2에서 볼 수 있듯이 2014~15년의 하락 추세 동안 200일 이동평균선은 계속 가격선보다 위에 있었는데, 이는 강력한 하락 추세에서 볼 수 있는 현상이다.(MA는 추세보다 뒤처지기 때문이다.) 7월 초 가격이 MA를 뚫고 상승하는데, 이는 가격 추세가 바뀐다는 신호이다.

10월에 크게 돌파가 나올 때 가격이 200일 이동평균선 위로 한참 치솟는데, 이는 새로운 상승 추세가 나올 수 있음을 시사한다.

그러고 나서 가격은 저항선을 재시험한다. 그림2에서 실제로 가격이 저항선 아래까지 급락하는 것을 볼 수 있는데, 돌파 시에 매매했던 일부 트레이더는 이제 수익이 없어졌으므로 매도 신호로 받아들이기도 한다. 개인적으로 나는 이런 지점이라면 계속 보유했을 것이다. 왜냐하면 가격이 저항선 아래로 조금 내려갔지만 실제로 그날 종가에 다시 저항선으로 복귀했기 때문이다.(캔들이 아랫꼬리만 달고 몸통의 하단이 가격선에 닿아 있다.) 거래일 하루 동안 가격이 제아무리 요동치더라도 그날 어디에서 끝나는지가 훨씬 더 중요하다.

당시 가격이 며칠 후에 다시 상승하면서 돌파를 확인해준 것을 보면 내 판단은 분명 옳았다.

장기 추세를 따르는 것을 좋아하는 트레이더들은 이러한 200일 이동평균선을

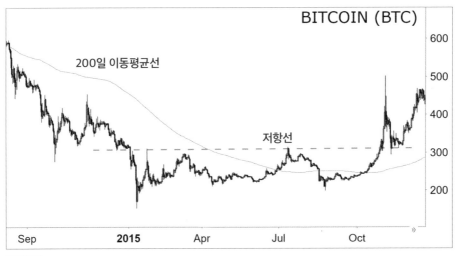

그림2 차트: Trading View

추적 손절매(trailing stop), 즉 그림3과 같이 가격선을 거리를 두고 따라가는 손설선으로 사용할 수 있다. 그들은 가격이 200일 MA를 웃도는 한 매도하지 않겠다는 규칙을 정하기도 한다. 만일 가격이 200일 MA 이하로 떨어지면 추적 손절매가 발동하고 트레이더는 자신이 이전에 설정한 자동 스톱로스 주문을 사용하거나 수동으로 비트코인을 매도하게 된다.

그림3에서와 같이 2015년 10월에 BTC를 매수한 이 트레이더는 2018년 2월까지 매도하지 않았을 것이다. 자, 여러분은 가격이 2만 달러에서 8,000달러로 하락한 후 결국 매도하기 때문에 고점에서의 수익을 모두 날리는 것이 맘에 들지 않을 것이다. 그러나 이 트레이더는 330달러에 사서 8,000달러에 팔았으므로 2년 반 동안 2,300% 이상의 수익을 올렸고, 이는 어떤 기준으로 봐도 믿을 수 없을 정도로 성공적인 거래였다.

이동평균선의 기간을 변경해 더 좋은 결과를 얻을 수 있을까?

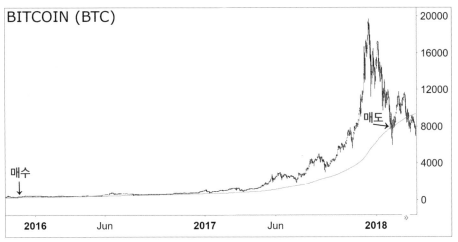

그림3 차트: Trading View

그림4에서 우리는 가격선과 더 가깝게 움직이는 50일 이동평균선을 사용한다. 이 MA는 2018년 초에 가격선을 통과하기 때문에 우리가 8,000달러가 아닌 약 1만 5,000달러에서 거래를 청산하게 한다. 하지만 다른 문제가 있다. 이동평균선은 특히 2016년과 2017년 초에 가격선을 너무나 자주 통과하기 때문에 우리는 매매를 수십 차례 들어갔다 나왔다 해야 했을 것이다. 이는 성가신 것은 물론, 비용도 많이 들어간다.

트레이더들은 보통 **이동평균선 교차** 시스템을 사용해 이 문제를 해결한다. 그들은 MA가 가격선을 통과할 때마다 매수나 매도하는 대신 기간이 다른 이동평균선을 두 개 사용해 이 둘이 서로 교차할 때만 매수 혹은 매도한다.

그림5에서 나는 MA 교차 전략이 과거에 어떤 성과를 냈을지 확인해 보기 위해 백테스트를 해보았다. 트레이딩뷰의 프로그래밍 기능을 사용해서 20일 이동평균선이 50일 이동평균선을 통과한 때마다 자동으로 비트코인을 매수 혹은 매도했다.

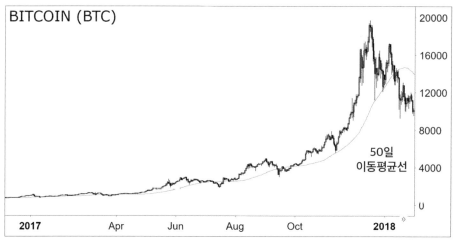

그림4 차트: Trading View

50일선은 장기 추세를 판단하는 데 사용되는 반면, 20일선은 현재 가격의 상승과 하락에 더 부합하면서도 실제 가격보다는 움직임이 부드럽고 덜 극단적이다. 이 방법의 장점은 하나의 이동평균선과 가격선을 사용할 때보다 두 개의 이동평균선을 사용할 때 매수와 매도 빈도수가 줄어든다는 것인데, 이는 20일 이동평균선이 극단적인 가격 움직임을 걸러내기 때문이다.

위쪽을 향하는 화살표는 매수를, 아래쪽을 향하는 화살표는 매도를 나타낸다. 보다시피 그림5에서는 매수 및 매도 건수가 적으며, 2018년에 두 이동평균선이 상당히 일찍 교차하기 때문에 우리는 큰 수익을 내고 빠져나올 수 있다.

많은 트레이더가 기간이 서로 다른 이동평균선을 열심히 실험하고 과거 데이터를 이용해 최상의 이동평균선 조합을 찾으려 백테스트를 한다. 사실 이동평균선에서 마법의 일수라는 것은 없다. 그러므로 특정 시장의 일반적인 흐름에 맞는 MA를 선택해야 한다. 솔직히 말해서 그런 편법은 어차피 장기적인 수익성에 별다른 영향

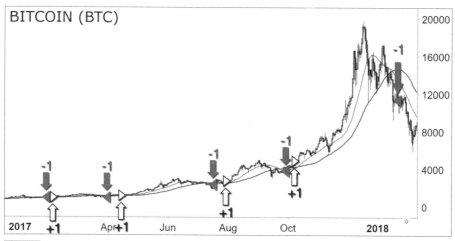

그림5 차트: Trading View

을 주지 못한다. 여러 규칙 중에서 여러분이 편안하게 느끼는 것을 찾는 게 중요하다. 왜냐하면 이론적으로 훌륭하더라도 거부감이 드는 시스템이라면 사용하기 어려울 것이기 때문이다.

ATR 추적하기

실용적인 또 하나의 추적 손절매는 **ATR**(Average True Range)을 기반으로 한다. ATR은 매우 유용한 개념이므로 나중에 각 암호화폐 거래에 돈을 얼마나 투입할지를 논의할 때 다시 설명하겠다. 하지만 지금은 추적 손절매를 설계하는 데 사용해보자.

ATR은 가격 변동성을 측정한다. 다시 말해 가격이 매일 얼마나 크게(또는 작게) 오르내리는지를 측정한다. 조금 복잡한 계산이지만 간단히 말하자면 차트에서 20일 ATR을 사용한다는 뜻은 지난 20일 동안 평균적으로 가격이 하루에 얼마나 움직였

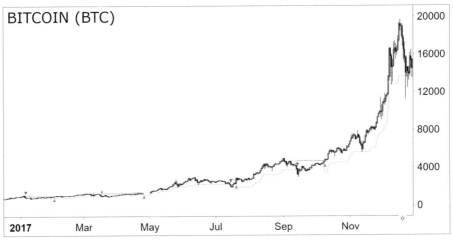

그림6 차트: Trading View

는지를 측정한 값을 사용하는 것이다.

그림6은 전형적인 ATR **추적 손절매**를 보여준다. 여기서 나는 30일 ATR을 사용했는데 편의상 ATR 추적 손절매 선이 가격선에 너무 붙어있지 않게 하려고 트레이더들은 보통 최근 며칠 동안의 최고가에서 ATR의 배수를 뺀다. 그림6에서 나는 ATR의 5배수를 뺐다.

ATR 추적 손절매 = 최근 30일의 최고 가격 - (5 × ATR)

이런 종류의 매도 방법을 때로는 샹들리에 청산이라고 부르기도 한다. 보다시피 2017년에는 매수와 매도가 많지 않았고, 약 1만4,000달러에 빠져나올 수 있었다. 꽤 괜찮은 성적이다.

안드로이드처럼 매매하라

나는 위에서 언급한 것처럼 MA와 ATR 추적 손절매를 사용하곤 했지만, 트레이더로서 실력이 쌓이면서 더는 이런 딱딱한 수학 도구에 의존할 필요가 없어졌다. 시장의 변화에 대한 자연스러운 감을 키우기 시작했고 나만의 청산 지점을 정하기 시작했는데, MA와 ATR의 청산 지점과 상당히 비슷했다. MA와 ATR 청산은 자동 시스템 트레이딩을 위해 고안된 알고리즘에 자주 사용되므로, 여러분은 내가 지각 있는 (sentient) 안드로이드[47]처럼 생각하기 시작해서 마치 인간의 직관이 약간 가미된 로

---

47 sentient android, 주관적 지각 경험을 지닌 안드로이드.-옮긴이

봇처럼 매매한다고 말할 수도 있을 것이다.

그림7은 아마도 내 접근법의 가장 좋은 예일 것이다.(맞다, 이 페이스북 게시물은 책의 앞쪽에서도 소개했지만, 이것이 내 경력에서 최고의 마켓 타이밍[48] 중 하나였기 때문에 최대한 많이 활용하려 한다.)

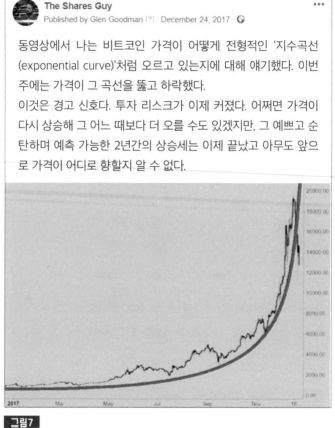

동영상에서 나는 비트코인 가격이 어떻게 전형적인 '지수곡선 (exponential curve)'처럼 오르고 있는지에 대해 얘기했다. 이번 주에는 가격이 그 곡선을 뚫고 하락했다.
이것은 경고 신호다. 투자 리스크가 이제 커졌다. 어쩌면 가격이 다시 상승해 그 어느 때보다 더 오를 수도 있겠지만, 그 예쁘고 순탄하며 예측 가능한 2년간의 상승세는 이제 끝났고 아무도 앞으로 가격이 어디로 향할지 알 수 없다.

그림7

출처: www.facebook.com / thesharesguy

---

48 market timing, 주식 시장의 상승과 하락을 예측하여 높은 수익률을 얻으려는 투자 행위.-옮긴이

비트코인 시장은 시간이 지날수록 가파르게 상승했기 때문에 앞서 언급한 대로 로그 차트를 사용하면 장기적인 추세를 보기가 훨씬 쉽다. 로그 차트는 **절대 가격**보다는 **가격 변동 비율**을 확인할 수 있게 한다. 예를 들어 그림8에서 20달러에서 60달러 사이의 수직 거리는 200달러에서 600달러 사이의 거리와 동일하며, 또 2,000달러에서 6,000달러 사이의 거리와도 동일하다.

기술적 트레이더는 대다수가 추세선을 그려서 추세를 확인하는데, 이는 시장이 일직선으로 멋지게 상승한다면 문제가 되지 않는다. 그러나 안타깝게도 그렇지 않은 경우가 대부분이다.

그림8에서 왼쪽의 첫 번째 점선은 2011년 초기 비트코인 마니아들이 자신의 로그 차트에 이 선이 '진정한' 장기 추세의 방향을 나타낸다며 열심히 그렸던 추세선이다. 그들의 생각은 가격이 추세선에서 크게 벗어나더라도 결국 진정한 추세선 방향으로 되돌아온다는 것이었다. 보다시피 추세선은 오래가지 못하고 2011년 말에 확실히 깨졌으며, 가격은 다시는 그 점선 방향으로 돌아오지 않았다.

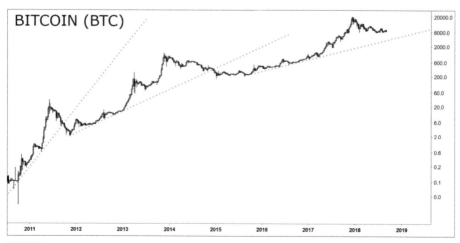

그림8 차트: Trading View

많은 트레이더가 2012~2014년에 같은 실수를 저지르며 두 번째 점선이 비트코인의 실제 추세라고 믿었다. 하지만 그렇지 않았다. 그들은 2017~2018년에 다시 또 그렇게 했고, 세 번째 점선이 우리가 '달까지!' 따라갈 선이라고 선언했다.

여기서 얻을 수 있는 교훈은 다음과 같다. 추세선을 주의해서 사용하라. 멋진 일직선 추세선에 너무 집착하지 마라. 그 선이 길을 밝혀주기보다는 잘못된 길로 이끄는 경우도 있다. 가장 큰 문제는 추세선이라는 게 원하는 곳이면 어디든 너무 쉽게 넣을 수 있어서 특정 추세 방향을 선호하는 사람들의 편견을 강화할 수 있다는 것이다.

그림8의 가격선을 뒤로 물러나 객관적으로 바라본다면 누구나 비트코인의 진정한 장기 추세를 알 수 있다. 추세선이나 이동평균선으로 굳이 설명하지 않아도 된다. 너무 간단해서 나는 윈도우 그림판에서 직접 그릴 수 있다. 소의 젖을 그려놓은 것처럼 보인다. 젖꼭지 모양도 볼 수 있을 것이다.

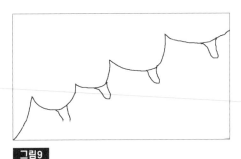

그림9

우리가 정말로 보고 있는 것은 일련의 파형일 뿐이다. 바닷가에서 밀물과 썰물을 바라보고 있으면 곧 시장과 비슷하다는 느낌이 들 것이다. 그 이유는 밀물과 썰물 같은 인간의 감정이 시장의 파형을 이런 모양으로 만들기 때문이다. 이런 흐름을 능숙하게 타는 것이 큰 이익을 얻는 지름길이다.

비트코인과 암호화폐는 출시 이후 줄곧 가격이 최고점에 도달했다가 사정없이 폭락하는 일련의 극적인 변동성이 특징이다. 이런 현상은 어느 정도 모형화할 수 있

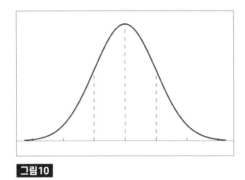
그림10

으며 **LPPL**(log-periodic power law, 로그주기 멱함수[49]법칙)이라고 불리는 방정식으로 수학적으로도 예측할 수 있다.[50]

그러나 암호화폐가 지금까지 그런 현상을 보여왔다고 해서 기하급수적인 폭등이 갑작스러운 폭락으로 이어지는 패턴이 무한히 계속될 거라는 뜻은 아니다. 다른 시장에서의 가격 폭등은 대개 고전적인 **종형 곡선**(bell curve)(그림10)과 같은 유형의 그래프와 유사하다.

새천년이 시작될 무렵의 닷컴버블과 붕괴는 그나마 그리 심하지 않은 폭락이었다.(당시에는 물론 전혀 그렇게 느껴지지 않았지만!) 시장은 자신이 무엇을 하고 있는지 아는 사람들에게 충분히 재난을 경고했다.(안타깝지만 당시 나는 그런 사람 중 한 명이 아니었다.) 미국의 대표 주식을 선정한 S&P 500 지수의 실적은 그림11과 같다.

지금 보면, 내가 '위험'이라고 표시한 지점부터 시장이 제대로 움직이지 않는 것이 분명하다. 통상적인 가격대를 이탈해 아래로 떨어졌지만, 장기적인 상승세가 끝났다고 선언할 만큼 무섭지는 않다. 내가 '매도'라고 표시한 지점에 도달해서야 상황이 심각하게 잘못되어 보이기 시작한다. 이 지점에서는 장기적인 상승 추세가 횡보 추세로 변하거나 새로운 하락 추세가 시작할 가능성이 매우 커 보인다(당연히 하락 추세로 판명되었다). 다시 말해 추세가 꺾이기 시작했고, 이는 탈출해야 한다는 신호다.

---

49 거듭제곱의 지수를 고정하고 밑을 변수로 하는 함수.-옮긴이

50 Emile Jacobsson, Stockholm University, 2009. 'How to predict crashes in financial markets with the Log-Periodic Power Law'. www2.math.su.se/matstat/reports/serieb/2009/rep7/report.pdf

이제 차트에 선을 몇 개 그려서 기술적 분석이 내 판단을 뒷받침하는지 확인해 보자.

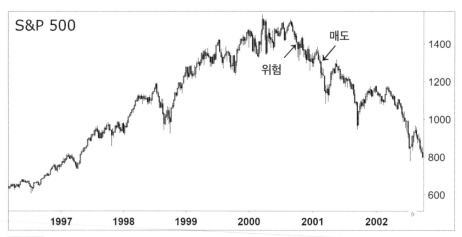

그림11 차트: Trading View

그림12 차트: Trading View

두 점선이 상승 쐐기형을 형성하다 내가 '위험'이라고 표시한 지점에서 추세가 아래로 꺾인다. 가격은 이어서 파선으로 표시된 목선이 있는 전형적인 헤드앤숄더형을 형성한다. 내가 추세가 꺾이는 '매도'로 표시한 지점은 헤드앤숄더형이 아래로 이탈하는 지점이기도 하다. 가격은 이후 반등해서 목선을 재시험한 뒤에 더욱 하락한다.

결론적으로 닷컴 붕괴는 추세 트레이더라면 완벽하게 예측할 수 있었다! 안타깝지만 그때 나는 추세 트레이더가 아니었다. 그러나 다행히도 2008년 폭락이 닥칠 무렵 나는 추세 트레이더였고, 3장에서 설명했듯이 톡톡히 도움을 받았다. 2008년 S&P 500 차트를 잠시 살펴보자.

2007년 시장이 꺾이기 시작하면서 나는 보유 종목을 서서히 매도했다. 서서히 그렇게 한 이유는 내가 전체 시장 차트뿐만 아니라 종목별 차트도 중요하게 생각하기 때문이었다. 나는 각 회사의 주식 차트에서 추세가 심각하게 꺾인 것이 보일 때까지 기다렸다가 매도했다.

그림13 차트: Trading View

당시 시장을 바라보던 내 관점은 미국의 서브프라임 사대기 끔찍한 금융 위기를 자초할 것이라는 믿음으로 편향되어 있었다. 따라서 나는 그림13에서 '조기 매도'로 표시한 지점에서 금융주를 경솔하게 공매도했다. 처음에 나는 자본금 3,000파운드를 가지고 1만5,000파운드로 만들었지만. 첫 번째 시장 폭락 후 보다시피 시장은 내 첫 번째 매도 지점보다 훨씬 더 올라갔고 나는 돈을 다 날릴 뻔했다.

내 실수는 시장이 아직 상승 추세일 때 - 이제 겨우 시작인데 - 하락에 베팅한 것이었다. 댐은 아직 무너지지도 않았는데 너무 일찍 뛰어들어 완전히 빈털터리가 될 뻔했다.

그런데 이런 일이 일어났고(그림14) 내 자본금 3,000파운드가 10만 파운드로 바뀌었다. 결국 나는 살아남아 신문에 내 이야기를 했다. 나는 얼마나 많은 사람이 나와 같은 행운의 실수를 하고도 결국은 버티지 못하고 시장에서 퇴출당하였을지 궁금하다. 그런 사람들 얘기는 들어보지 못했을 것이다, 그들은 테스코[50]에서 진열대를 채우느라 바쁠 테니까. 나는 무모한 모험을 했고 지독히도 운이 좋았다.

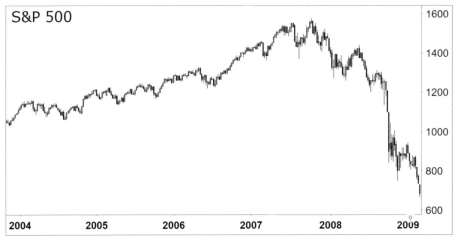

그림14 차트: Trading View

자신의 학자금 대출을 100만 파운드로 바꿔놓은 트레이더에 대한 이야기는(어김없이 남자다), 단지 도박판에서의 행운이었음을 명심해야 한다. 그저 시장에서 학자금 대출을 모두 잃은 수천 명의 다른 학생들 대신 운이 좋았던 한 학생에 대한 이야기일 뿐이다.

상승 추세 동안 내 머릿속에는 강한 추세에서 예상할 수 있는 정상적인 가격 움직임을 나타내는 모든 기하학적 모양이 자리 잡는다. 만일 추세가 내 예상에서 크게 벗어난다면 나는 매도 버튼을 향해 손가락을 씰룩이기 시작할 것이다. 제시 리버모어는 "주식이 올바른 방향이고 시장이 옳다면, 서둘러 이익을 보려고 하지 마라"라고 말하곤 했다.[52]

파도타기 전략

추세가 꺾일 때까지 확실하게 추세를 타는 방법을 살펴보자. 사례 연구로 저 놀라운 2015~2017년 비트코인 붐을 다시 한번 사용하겠다(언제나 매력적인 사례이므로). MA나 ATR 추적 손절매를 사용하는 대신 단순히 시장의 자연스러운 리듬이나 파도를 존중할 것이다. 이런 용도에서 지지선과 저항선은 매우 유용하다.

그림15에서 맨 아래 점선은 우리가 앞서 분석한 첫 번째 돌파선이다. 아마 기억이 날 것이다. 이때의 돌파는 2년간의 상승 추세의 시작을 알리는 신호이다. 그다음 상승 삼각형이 형성되고 두 번째 돌파가 나올 때(2016년 6월) 저항선 역할을 했던 삼각형의 맨 위쪽 선이 이제 새로운 지지선이 된다.

---

51 Tesco PLC, 영국의 대형 유통업체.-옮긴이
52 How To Trade In Stocks, Jesse Livermore, 1940.

그런 다음 상승 삼각형 하나가 더 형성되고 11월에 돌파가 나오면서 저항선은 다시 새로운 지지선이 된다(800달러 바로 아래). 가격은 1,200달러 근처에서 다시 지지선으로 급락하지만, 아래꼬리만 지지선 밑으로 내려갔고 가격은 그날 지지선 위에서 마감하는데, 이는 지지선을 가까스로 지켜냈음을 보여준다.

다음날 가격이 800달러 아래로 계속 내려갔다면, 나는 BTC를 팔고 수익을 챙겼을 것이다. 왜냐하면 지지선 아래로 떨어지는 확실한 이탈은 강력한 경고이기 때문이다. 초보 트레이더는 이런 내 의견에 종종 "아깝다! 가격이 다시 오를 때까지 기다려야죠!"라고 반박한다. 그러나 심하게 깨진 지지선은 시작에 불과할 수도 있다는 사실을 반드시 알아두어야 한다. 때로는 수익이 모두 날아갈 때까지 가격이 계속 하락할 수도 있다! 모든 추세는 언젠가는 끝이 나기 때문에 노련한 트레이더는 자신의 칩을 언제 현금으로 바꿀지 알아야 한다.

비트코인의 경우는 우리가 살펴본 바와 같이 지지선이 완전히 깨지지 않았으므로

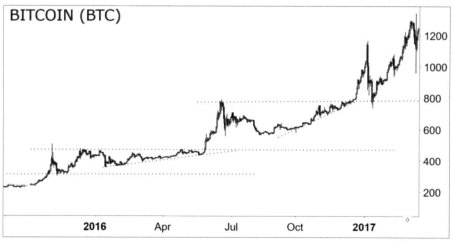

그림15 차트: Trading View

그림16에서 분석을 이어가 보자.

이제 여기가 우리가 첫 번째로 아주 까다로운 결정을 해야 하는 곳이다. 시장은 계속해서 800달러 지지선을 여유 있게 상회하다가 빠르게 상승해 3월과 6월 사이에 가격이 3배가 오른다. 이렇게 놀라운 상승이 나오면 우리는 이후 보합 기간을 예상하곤 한다. 그리고 실제로 6월에 가격이 대칭삼각형을 이루지만 7월에 가격이 심란하게 아래로 이탈한다. 가격이 급락해 2,000달러 아래까지 터치하며 3,000달러 고점 대비 3분의 1 이상 하락했다.

가격이 대칭삼각형에서 아래로 이탈하기 때문에 추세 트레이더라면 대부분(나를 포함해서) 2,400달러 근처에서 매도하고 싶은 유혹이 들것이다. 가격이 이전 지지선인 800달러로 떨어질 때까지 BTC를 들고 가는 것은 너무나 어리석은 짓이다!

하지만 다행히도 800달러까지 내려가기 전에 또 다른 지지선이 있다. 이 지지선은 1,800달러에 파선으로 표시되어 있으며 5월에 가격이 잠시 하락한 저점으로 정

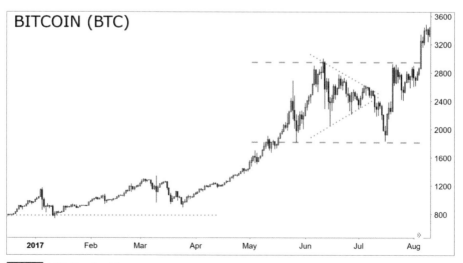

그림16 차트: Trading View

의되는데, 당시 가격은 1,800달러까지 급락했다.

7월에 가격이 다시 급락하고 1,800달러 지지선을 재시험하지만 - 수백만 비트코인 투자자들에게 불면의 밤을 선사하며 - 지지선은 확고히 유지되고 가격이 다시 반등해 멋진 깃발형을 형성한 후 8월에도 상승세를 이어간다.

깃발형의 상단선은 새로운 지지선이 되고 9월에 잠시 시험을 받는다. 이후 가격은 계속해서 상승하며 더욱 탄력을 받는다.

강세장이 이제 18개월 동안 지속되었고 점점 더 빠르게 추세가 오르고 있어서 이런 폭발적 성장은 무한대의 곡선으로 그릴 수 있다.

물론 현실 세계에서 가격은 무한대로 오르지 않으며 결국 폭락한다. 따라서 내가 크리스마스이브에 페이스북에서 지적했듯이 가격이 그 곡선을 이탈하는 지점은 중요한 경고 신호이다. 제시 리버모어의 말처럼 가격이 더는 올바른 방향이 아니었나. 그 지점에서 나는 보유한 암호화폐를 일부 팔기 시작했지만, 최대한 신중을 기

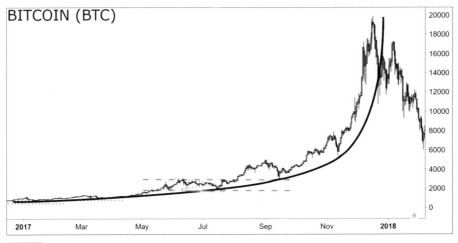

그림17 차트: Trading View

했는데 추세가 이번 하락에서 아직 회복할 가능성이 있었기 때문이다.

1월에 가격은 다시 2만 달러에 도전했지만 실패했고, 그 후 이전보다 훨씬 더 떨어졌다. 내가 필요했던 확인은 이게 다였다. 이제 강세장이 재개될 가능성이 거의 없었기 때문에 나는 곧 모든 암호화폐 자산을 매도하기 시작했다. 내가 다른 암호화폐까지 매도한 것은 순전히 비트코인의 강세장이 끝났기 때문은 아니었다. 나는 각각의 암호화폐가 하락 반전하는 신호가 나올 때까지 기다렸다가 팔았는데, 그중에 어떤 것은 하락 추세를 거스를지도 모르기 때문이었다.

손절매를 해야 하는 순간

성공적인 매매를 청산하는 것도 고통스러운 결정일 수 있지만, 진정한 고통은 실패한 거래에서 손실을 줄이는 데서 나온다. 트레이더로 있는 한 누구나 계속해서 손절매할 수밖에 없기 때문이다.

목표는 반창고를 뜯어내는 것처럼 재빠르고 단순하게, 기계처럼 하는 것이다. 매매할 때마다 여의치 않으면 어디서 빠져나올지를 결정해야 한다. 경험상 성공한 트레이더의 대다수는 한 번의 거래에서 자본금의 0.5~1% 이상의 위험을 감수하지 않으려 한다. 여러분이 크게 베팅하는 초보 트레이더라면 이 비율이 한심할 정도로 낮아 보일지 모르지만, 계속해서 크게 베팅한다면 머지않아 베팅을 전혀 할 수 없게 된다.

차트상으로 보아 타당성이 있는 손절매 지점을 선택하는 것이 이상적이다. 예를 들어 그림18에서 파선으로 표시한 손절매 지점은 2015년 초에 상승 삼각형이 형성됨에 따라 올바르게 설정되고 있다.

가격이 3월에 돌파가 나오므로 스톱로스의 자연스러운 위치는 삼각형의 밑변을 따라 설정되어야 할 것이다. 또는 단순히 3.00달러로 여유 있게 설정할 수도 있는데, 그 가격이 가장 최근의 저점이기 때문이다.(이 저점에서 가격이 3월 초에 비스듬한 삼각형의 빗변을 터치하고, 이후 곧바로 돌파가 나온다.) 여러분은 단순히 가격을 예의 주시해도 되고, 아니면 스톱로스 주문을 낼 수도 있다.(대부분의 암호화폐 플랫폼에서는 가격이 지정된 수준 아래로 떨어질 때 자동으로 발동하는 주문을 낼 수 있음을 기억하라.)

2015년 3월 가격이 상방으로 돌파한 뒤 이전의 저항선(2014년 8월의 6달러)을 뚫지 못하고 다시 하락한다. 그리고 돌파선을 재시험하고 다시 상방으로 날아갈 것처럼 보이지만 아래로 떨어져 곧 삼각형 빗변에 짧게 스톱로스를 설정한 3.60달러를 깨뜨린다. 여러분이 베팅 규모를 합리적으로 유지하는 한, 이는 여러분의 트레이딩에서 작은 손실만을 안긴다. 이 정도는 여러분이 성공적인 트레이더로서 감수해야 하는 흔한 손실 중 하나일 뿐이다.

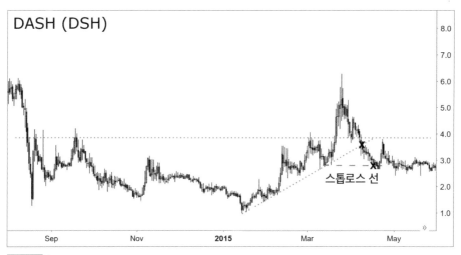

그림18 차트: Trading View

가격이 계속 하락하고 3달러에 길게 잡은 스톱로스가 실행된다. 그 후 가격은 4월 말에 다시 상승해 4달러에서 돌파선을 재시험한다. 스톱로스로 팔고 난 후 고통을 느끼며 후회하던 트레이더들은 대다수 가격이 다시 오르는 것을 보자마자 재진입하는 실수를 범할 것이다. 그런 트레이더들은 곧 두 번째 손실을 안게 된다. 만일 가격이 실제로 다시 한번 돌파선을 상방으로 뚫었다면 재진입하는 것도 일리가 있지만, 단순히 후회 때문이라면 절대 재진입해서는 안 된다. **이는 시장이 횡보할 경우 보통 매수와 매도를 계속 되풀이하다가 결국 재앙으로 가는 길이다.** 이런 유형의 자기 파괴적 매매의 전형적인 예는 그림19에서 볼 수 있다. 위쪽을 향한 화살표는 진입한 거래를 나타내고, 아래쪽을 향한 화살표는 매번 약간의 손실을 보고 청산한 거래를 나타낸다. 많은 트레이더가 이런 식의 소모전으로 전체 계좌를 잃는다. 이를테면 천 번 찔려 죽는 셈이다.

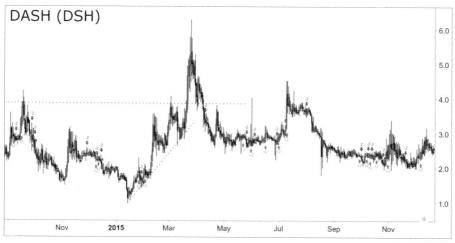

그림19 차트: Trading View

2015년 3월에 대시(DSH)에서 나왔던 것과 같은 급등이 나온 후에 내가 자주 사용하는 전략 또 하나는 내 포지션에서 일부만 수익을 챙기고 나머지는 계속 가져가는 것이다. 예를 들어 3월 21일 돌파 지점에서 100 DSH를 개당 4달러에 매수했다고 해보자. 일주일도 안 돼 400달러 투자금이 600달러가 됐다. 그러면 여러분은 보유 중인 DSH의 절반을 팔아 50DSH에 대한 100달러의 수익을 챙기고 싶을 것이다. 그리고 포지션의 나머지를 스톱로스 지점인 3달러까지 계속 보유한다면 여러분은 50달러의 손실을 보게 되지만, 전체 거래에서는 50달러의 순수익을 남기게 된다. 이 방법은 엄청난 급등이 나온 이후에 특히 유용한 전략인데, 급등 후에는 흔히 급락이 뒤따르기 때문이다. 따라서 거래의 일부에서 수익을 실현함으로써 베팅의 위험성을 회피하는 것이 현명한 방법일 수 있다.

대시 차트는 반전이 임박했다는 일반적인 경고 신호를 준다. 그림20의 캔들을 자세히 보면 **반전 캔들**을 찾을 수 있다. 이 캔들은 전날의 종가(캔들 꼭대기)보다 높게

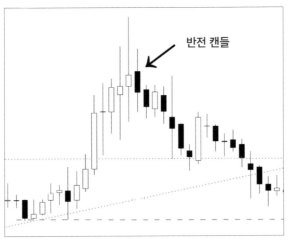

그림20 차트: Trading View

거래일을 시작한 뒤 더 높이 상승하려 시도하다 다시 하락하고(길게 윗꼬리를 남기고), 전날의 시초가와 종가보다 낮게 마감한다. 반전 캔들을 구성하는 것이 무엇인지 아주 정확하게 정의하려는 기술적 분석가도 있겠지만, 내게는 이 정도면 충분하다. 만일 가격이 높게 시작해서 더 높게 오르다 그날 종가에 급락한다면, 여러분은 번쩍이는 커다란 경고판을 보는 것이다. 그리고 당연히 이 캔들은 DSH의 하락세가 시작된다는 신호이다.

하지만 긍정적인 이야기를 하자면 가격이 순조롭게 상향으로 움직이는 가운데 돌파 매매가 잘 진행되고 있을 때는 스톱로스를 본전 수준으로 올려서 설정해야 한다. 그래야 차트가 결국 반전되었을 때, 최악의 상황에도 매수 지점에서 팔고 나올 수 있다.

요약

언제 팔 것인가 하는 문제는 당연히 트레이더로서 장기적인 수익성에 영향을 미치는 가장 큰 요인이다. 나는 여러분에게 손실이 나는 거래에서 손실을 빨리 줄이는 방법을 보여주었고 또 추세가 꺾이기 시작할 때 수익을 챙겨야 할 지점을 결정하는 데 도움이 되는 기법도 보여주었다.

이런 기법을 사용한다면 돈을 잃는 대다수의 트레이더 무리에 합류할 일은 거의 없을 것이다! 트레이더는 항상 어떤 상품을 매매해야 하고 정확히 언제 사야 하는지에 집착하지만, 경험 많은 추세 트레이더는 이런 것들은 비교적 사소한 고려사항이라는 사실을 알고 있다. 하향이 아닌 상향 추세로 보이는 암호화폐를 매수하는 한 정확한 진입 지점은 크게 중요하지 않다.

알다시피 나는 돌파 지점에서 매수하기를 좋아한다. 왜냐하면 거래 시작 시 암호화폐에 추가적인 힘을 실어주어 내가 스톱로스에 금방 도달할 가능성이 작아지기 때문이다. 하지만 이는 핵심 고려사항은 아니다. 추세의 초기 단계에서는 어떠한 임의의 지점에서도 매수해도 되고 상승 추세 동안 인내심을 갖고 기다리다 마지막에 절제된 방식으로 매도하는 방법을 배운다면 여전히 상당한 돈을 벌 수 있다.

"내가 큰돈을 번 건 내 판단 때문이 아니었다. 그건 언제나 앉아 있었던 덕분이었다. 알겠는가? 가만히 자리를 지키는 것 말이다. 시장을 올바르게 판단하는 건 그리 어려운 기술이 아니다. 남들보다 먼저 상승장에서 매수하고, 하락장에서 공매도하는 이들은 항상 많았다. 정확한 시기에 정확한 포지션으로 큰 수익을 낼 수 있는 시점에서 주식을 매수하거나 공매도한 사람들을 많이 보았다… 하지만 결과적으로 큰돈을 번 사람은 별로 없었다. 올바른 판단을 하면서 동시에 진득하게 앉아 있을 수 있는 사람은 흔치 않다."

- 제시 리버모어

제시는 장기적으로 아직 상승 추세에 있지만, 단기적으로 하락하는 거래를 유지하는 것이 얼마나 어려운지를 누구보다 잘 알았다. 지난번에 확인한 이후 수익이 얼마나 빠졌는지 계좌 잔고를 끊임없이 확인하고 싶은 유혹을 이겨내야 한다. 일부 추세를 따르는 펀드 매니저들은 사무실에서 트레이더들의 사기를 높이기 위해 윌슨 필립스의 노래 「홀드 온(Hold On)」을 반복해서 틀었다고 시인하기도 했다.

"상황이 바뀔 수 있다는 걸 모르세요?

당신 뜻대로 될 거예요.

하루만 더 버틴다면 말예요."

이제 무엇을 사야 하는지, 언제 사야 하는지, 그리고 언제 팔아야 하는지 알게 되었다. 그럼 이게 다일까? 이제 우리는 훌륭한 트레이더 경력을 시작할 준비가 되었을까? 아직 아니다. 검토해야 할 중요한 요소가 하나 더 있다. 바로 포지션 크기의 결정으로, 각 암호화폐를 얼마나 사느냐의 문제이다. 계란을 모두 한 바구니에 담는 것은 얼굴에 계란을 묻히는 확실한 방법이다.(거래 장애물에 걸려 넘어져 계란 바구니에 얼굴을 묻게 되거나, 바구니가 너무 무거워져서 떨어뜨리고 깨진 계란이 얼굴에 튈 수도 있고, 아니면… 음, 무슨 말인지 알 것이다.) 각 암호화폐에 얼마를 넣어야 적당한지를 알게 되면 수익을 많이 내는 데 도움이 되고, 또 여러분이 보유한 암호화폐 중 어떤 종목 때문에 여러분이 파산하지는 않을 거라는 사실을 알기에 밤에 안심하고 잠을 자는 데에도 도움이 된다.

11

얼마나 매입할 것인가

"나이 많은 트레이더도 있고 용감한 트레이더도 있다. 그러나 나이 많고 용감한 트레이더는 없다."

- 무명 트레이더

리스크가 관건이다

어떤 암호화폐를 얼마나 매수해야 할지 결정할 때 '얼마나 살 수 있을까?'라고 물어서는 안 된다. 대신에 '이 암호화폐에서 리스크를 어느 정도 감수해야 할까?'라고 물어야 한다.

일반적인 트레이더는 '나는 투자할 돈이 1만 파운드 있으니까 현명하게 10개의 암호화폐에 1,000파운드씩 투자해서 리스크를 분산해야지'라고 생각할 것이다. 분산

투자는 분명 좋은 것이다. 일반적으로 한 개의 암호화폐보다 열 개의 암호화폐에 돈을 넣는 것이 안전하지만, 단순히 돈을 똑같이 나누어 넣는 것은 좋은 전략이 아니다.

동일한 비중으로 분산한 포트폴리오를 구성하고, 이것이 2018년 폭락 당시에 어떤 실적을 냈을지 스트레스 테스트[53]를 해 봄으로써 그 이유를 살펴보자.

동일한 비중으로 구성한 포트폴리오

2018년 1월 1일로 돌아가 인기 있는 암호화폐 열 종목에 각각 1,000파운드를 투자하고 6개월 동안 보유하면 무슨 일이 일어나는지 알아보자. 아래 열 개의 암호화폐를 사용할 것이며 각각의 2018년도 시가총액은 다음과 같다.

- 비트코인(Bitcoin) - 2,300억 달러
- 리플(Ripple) - 900억 달러
- 이더리움(Etherium) - 700억 달러
- 스텔라(Stellar) - 70억 달러("은행업의 미래")
- 이오스(Eos) - 50억 달러(스마트 계약 플랫폼, 이더리움과 경쟁)
- 퀀텀(Qtum) - 45억 달러(비트코인과 이더리움 기술 결합)
- 지캐시(ZCash) - 15억 달러(익명 거래)
- 도지코인(DogeCoin) - 10억 달러
- 클록코인(ClockCoin) - 1억 3,000만 달러(익명 거래)
- 칸나비스코인(CannabisCoin) - 2,300만 달러 ("칸나비스 유저를 위한 비트코인" - 정말로 그렇다.)

---

53 여러 가지 변수를 바꾸어 잠재적 손실을 측정하는 테스트.-옮긴이

	2018년 상반기 가격 변동률	투자금 1,000파운드 중 손실 금액
Bitcoin	-53%	-£530
Ripple	-76%	-£760
Ethereum	-38%	-£380
Stellar	-46%	-£460
EOS	+6%	+£60
Qtum	-84%	-£840
ZCash	-64%	-£640
DogeCoin	-72%	-£720
CloakCoin	-88%	-£880
CannabisCoin	-92%	-£920
총 손실	-61%	-£6,070

정말 끔찍한 손실이 난 종목도 몇 개 보인다. 2018년 초에 칸나비스코인에 평생 모은 돈을 투자한 사람들 모두에게 진심으로 애도를 표한다.(틀림없이 고통을 자가 치료 하고 있을 것이다.)

이 투자 방식의 문제점은 각 암호화폐의 서로 다른 변동성을 고려하지 않는다는 점이다. 어떤 것은 하루에 몇 %p만 오르내리는 반면, 또 어떤 것은 하루 변동 폭이 매우 크다. 각 암호화폐 투자에 대한 리스크가 동등하도록 안정적인 암호화폐에는 많이 투자하고 등락이 심한 암호화폐에는 적게 투자하는 것이 합리적인 접근법이다.

리스크를 동등하게 할당한 포트폴리오

자, 여러분은 암호화폐 거래가 가슴 벅찬 승리의 기쁨으로 람보르기니를 타고 사유지에서 우승 퍼레이드를 벌이는 것으로 상상했을 것이고, 리스크를 동등하게 나누는 방법에 대해 배우는 것은 별로 생각하지 못했을 것이다. 하지만 걱정할 필요는 없다. 여러분에게 한 가지 기법만 보여주겠다. 배우기 쉬우며 트레이딩 실적도 크게 높여 줄 것이다.

10장에서 살펴본 ATR을 기억하는가? 자, 이제 ATR이 진가를 발휘할 때이다. ATR을 차트에 추가하려면 트레이딩뷰 차트나 대부분의 다른 차트 앱에서 **지표**(Indicator) 메뉴의 ATR을 선택하면 된다. ATR은 암호화폐의 하루 평균 변동폭을 보여주며, 이 정보를 이용해 여러분이 오픈할 포지션 크기를 조정할 수 있다.

위의 열 개 암호화폐 포트폴리오에서 일일 변동 폭을 고려해 포지션 크기를 조정하면 다음과 같은 결과를 얻을 수 있다.

아직도 손실이 매우 크지만, 이전만큼 나쁘지는 않다. 이는 과거에 변동성이 가장 커서 투자금액을 가장 적게 할당한 암호화폐가 폭락 시에도 가장 극적으로 하락했기 때문이다. 이건 우연이 아니다. 가장 빠르게 오르면 가격이 가장 심하게 내려가기 마련이므로 변동성에 따라 포지션 크기를 조정하는 것이 중요하다.

	거래 크기	2018년 상반기 가격 변동률	투자금 1,000 파운드 중 손실 금액
Bitcoin	£1,810	-53%	-£959
Ripple	£1,018	-76%	-£774
Ethereum	£1,811	-38%	-£688
Stellar	£627	-46%	-£288
EOS	£789	+6%	+£47
Qtum	£698	-84%	-£586
ZCash	£1,358	-64%	-£869
DogeCoin	£719	-72%	-£518
CloakCoin	£627	-88%	-£552
CannabisCoin	£543	-92%	-£499
총계	£10,000	-61%	-£5,686

포지션 크기 결정하는 방법

매수하려는 암호화폐를 선택했다면 자신의 리스크 관리 선호 사항에 따라 ATR을 이용해 적절한 포지션 크기를 계산하면 된다. 2018년 4월에 가격 돌파가 나오면서 여러분이 이더리움을 매수하고자 한다고 가정해보자. 그림1에서 30일 ATR 선을 차트에 추가했다. 최신 ATR 값이 40이므로 가격은 하루에 약 40달러씩 움직인다.

여기서 우리는 가상 거래 계좌의 크기를 1만 달러로 사용하겠다.[54] 성공한 트레이디는 한 번의 거래에서 자본금의 0.5~1% 이상의 리스크를 감수하지 않으려 한다

---

54 이 예에서는 통화를 변환하는 수고를 덜도록 달러를 사용한다.

고 앞서 논의한 바 있는데, 여기에서 1만의 1%면 100달러가 된다. 가장 가까운 스톱로스 선은 그림1에서와 같이 이전 지지선인 500달러이다. 이더리움의 현재가는 570달러이므로 지지선까지는 70달러 떨어져 있다. 그리고 이 금액은 자본금 1만 달러의 0.7%에 해당한다. 따라서 잠재적인 손실이 자본금의 0.5~1% 사이에 있으므로 합리적인 금액이다.

ATR이 하루에 40달러이면 70달러 손실까지의 거리는 1.75 ATR이 된다. 이것은 추세 트레이더의 스톱로스로는 꽤 표준적인 거리이므로 이 거리를 고수하자. 따라서 우리는 570달러에 이더리움 코인 한 개만 사야 한다고 결론 내릴 수 있다.

만일 우리가 대신 ETH 2개를 1,140달러에 산다면 전체 거래의 ATR은 2 × 40 = 80달러가 된다. 매수 지점에서 불과 70달러밖에 떨어져 있지 않은 스톱로스를 터치하는 데에는 채 하루가 걸리지 않는다. 스톱로스를 이렇게 좁게 설정하는 트레이더도 더러 있지만, 이 경우에는 암호화폐의 가격 변동에 여유가 많지 않으므로 암호화

그림1 차트: Trading View

폐를 매수한 지 하루나 이틀 만에 스톱로스를 터치할 가능성이 크다는 점을 명심해야 한다. 이렇게 좁게 설정한 스톱로스는 초기 단계에서 자동 청산되는 거래가 많아지게 되므로 아마도 시간이 지남에 따라 수익률을 잠식할 것이다.

주기적으로 포트폴리오를 조정하라

앞 장에서 나는 암호화폐가 크게 올랐다면 포지션에서 일부를 팔아 어느 정도 수익을 챙기고 나머지는 계속 보유하는 것에 대해 얘기했다. 암호화폐의 포트폴리오를 구성한 후에도 리스크 수준이 변경될 수 있다는 점에 유의해야 한다. 똑같은 금액의 네 가지 암호화폐를 동일한 금액만큼 매수하는 가상의 예를 들어보자. 암호화폐 네 개는 가격과 ATR이 같다. 그런데 네 개 중 두 개는 가격이 빠르게 오르고 나머지 두 개는 떨어져서, 가격이 오른 두 개의 ATR이 금세 훨씬 커졌다. 이는 암호화폐의 절대가치에 맞춰 변동성이 비례적으로 커지는 경향이 있기 때문이다.(예: 비트코인이 개당 1,000달러일 때 하루에 100달러씩 움직이면, 개당 1만 달러일 때는 하루에 대략 1,000달러씩 움직일 것으로 예상할 수 있다.) 그러므로 다음과 같은 결과를 얻을 수 있다.

	매수가	ATR	새로운 가격	새로운 ATR
BTC	$100	$10	$200	$20
ETH	$100	$10	$150	$15
EOS	$100	$10	$100	$10
XRP	$100	$10	$75	$7.50
DSH	$100	$10	$50	$5

이제 여러분의 계좌는 DSH보다 BTC의 움직임에 훨씬 더 영향을 받게 된다. 왜냐하면 BTC는 매일 DSH의 4배만큼 오르내리는 경향이 있기 때문이다.

상황이 이렇게 제대로 돌아가지 않을 때는 포트폴리오 리밸런싱을 고려해야 한다. 그런데 포트폴리오를 균형 있게 구성하려다 보면 문제가 있다. 추세가 최종적으로 꺾일 때까지 수익 중인 암호화폐에서 이윤을 최대로 늘려야 한다는 원칙과 상충하기 때문이다.

이 문제는 '손실은 줄여라'라는 격언으로 일부 해결할 수 있는데, 여러분은 XRP 및 DSH 포지션이 그렇게 많이 떨어지기 훨씬 전에 매도했을 것이기 때문이다.

또한 여러분은 보유한 BTC의 3분의 1이나 절반을 매도해 포트폴리오를 재구성할 수도 있다. 특히 반전 캔들이 나올 때 이런 결정을 할 수 있는데, 이 캔들은 적어도 단기적으로는 하방으로 내려갈 가능성을 시사하기 때문이다. 때로는 지지선이 분명히 침해되고 있는지 확신하기 어려운 애매한 상황이 생기기도 한다. 하지만 이런 불확실성이 성공한 암호화폐의 일부를 매도해 수익을 실현할 수 있는 좋은 기회를 주기도 한다.

피라미딩 전략 활용하기

널리 쓰이는 피라미딩 전략은 포트폴리오 리밸런싱 원칙과 상충하는 불편한 상황에 있다. 이 전략은 상황이 좋을 때 투자금의 비중을 늘리는 것을 말한다. 일반적으로 트레이딩 플랫폼들은 마진 거래를 할 때 암호화폐가 수익이 나고 있다면 여러분이 포지션에서 수익을 실현하지 않았더라도 일부를 이용해 다른 암호화폐를 거래하거나 수익이 나고 있는 암호화폐에서 포지션을 늘릴 수 있도록 허용한다.

일반적으로, 피라미딩은 가격이 오를수록 상대적으로 큰 초기 투자금에 점점 더 적은 금액을 추가해가는 것(피라미드 형태처럼)을 의미한다.

나 역시 수년간 피라미딩을 꽤 많이 해왔는데, 예를 들어 비트코인이 긴 상승세를 이어가던 2016~2017년에 그랬다. 가장 큰 문제는 중간에 가격 조정이 나올 때 여러분이 흔들려서 포지션을 청산할 가능성이 커진다는 점이다. 매수 시점이 차트 저 아래에 있다면 조정 기간에 '하루만 더 버티기'는 훨씬 쉽다. 그러나 만일 고점에서 돌파가 나올 때 추가로 들어간 매수 시점도 꽤 여러 번 있다면, 조정이 크게 나올 때 매도하고 싶은 유혹을 견디기 어려울 것이다. 또한 일부는 추세의 끝에서 매수한 경우, 실제로 결국 추세가 꺾일 때는 나중에 매수한 일부에서 손실을 보게 될 수 있다. 게다가 전체 포트폴리오의 맥락에서 보면, 피라미딩은 한 포지션을 점점 늘려가게 되므로 리스크의 균형을 깨뜨리게 된다.

이런 모든 단점에도 어떤 포지션이 정말 유력해 보일 때는 피라미딩하고 싶은 마음이 강하게 들기도 할 것이다. 피라미딩을 한다면 조심해서 해야 한다.

피라미딩은 실제로 공매도에서 더 진가를 발휘할 수 있다. 왜냐하면 가격이 내려가 0에 가까워질수록 점점 더 느리게 움직이는 경향이 있기 때문이다. 예를 들어 가격이 일주일 만에 8달러에서 4달러로 하락했다가 한 주 뒤에는 4달러에서 2달러로 하락하는 경우가 있다. 이때 하락 비율은 매주 같지만(50%) 둘째 주에 숏 포지션에서 얻는 실제 달러 수익은 절반밖에 되지 않는다. 따라서 이런 맥락에서 보면 피라미딩은 실제로는 리밸런싱 원칙에 맞는다고도 볼 수 있는데, 동일한 비율에서 수익을 늘리려면 포지션 비중을 키워야 하기 때문이다.

공매도 얘기가 나왔으니 공매도에 대해 살펴보자.

12

암호화폐도 공매도가 가능할까

맞다, 나는 가끔 공매도로 돈을 조금 벌기도 했고, 게다가 2008년 증시 대폭락 때 3,000파운드로 10만 파운드를 만든 공매도 횡재 건 같은 사소한 일도 있었다. 그러나 일반적으로 숏 포지션(공매도)은 롱 포지션(매수)보다 돈을 벌기 훨씬 어렵고, 몇 가지 이유에서 공매도에 유능한 트레이더는 극히 소수에 불과하다.

첫째, 상승 추세를 탈 때 포지션 크기가 점점 더 커진다.(이 때문에 때로는 일부를 팔아 다른 보유자산과 비교해 포지션을 재조정해야 한다.) 이는 정말로 큰 수익으로 이어질 수 있으며 물론 추세 트레이더들은 그 모든 작은 손실을 이런 큰 수익으로 벌충하기도 한다.

그런데 공매도를 할 때는 그 반대의 일이 일어난다. 가격이 내려갈수록 이전 장에서 설명했듯이 여러분의 포지션 크기는 상대적으로 작아진다. 예를 들어 여러분에게 자금이 1,000파운드가 있어서 2017년 12월 가격이 0.25달러인 XRP에 전부 넣었다고 해보자. 2018년 1월 초 가격이 3달러에 도달해 1,100% 올랐고 투자한 1,000 파운드가 1만2,000파운드로 불어났다!

이제는 매수하는 대신 증시 대폭락이 시작할 때까지 기다렸다가 투자금 1,000 파운드를 XRP 3달러에 공매도했다고 해보자. 2018년 8월이 되어 그 3달러 가격이 개당 0.25달러로 다시 떨어져 정확히 이전 사례와 반대가 되었다. 그래서 여러분은 이번 숏 포지션에서의 수익이 롱 포지션일 때와 동일한 1만2,000파운드가 되리라 예상할는지 모른다. 그러나 아쉽게도 그렇지 않다. 여러분의 투자금 1,000파운드는 1,917파운드가 될 것이다. 여전히 괜찮은 수익이지만, 엄청난 암호화폐 대폭락에서 성공적으로 거래한 것 치고는 감흥이 덜한 것이 사실이다(그림1 참조).

앞서 언급했듯이 0.25달러에서 3.00달러는 1,100%가 상승한 것이고, 3달러에서

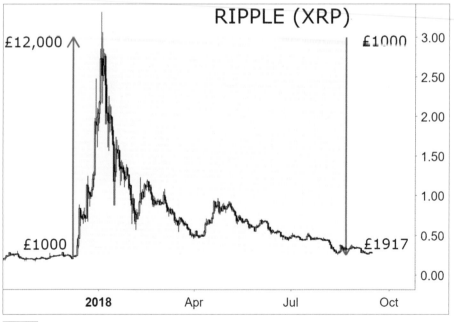

그림1 차트: Trading View

0.25달러는 91.6% 하락한 것이다. 두 경우 모두 수익은 가격 변동률과 같으므로, 롱 포지션 거래에서는 1,100퍼센트의 수익을 내는 반면 숏 포지션 거래에서는 수익이 91.6%에 불과하다. 공매도에서 가능한 최대 수익률은 100%(XRP가 0으로 떨어지는 경우)에 불과하지만, 가능한 최대 손실은 무한하다(XRP가 오를 수 있는 가격에는 상한선이 없으므로). 이제 여러분도 내가 왜 공매도에 크게 관심이 없는지 알았을 것이다!

그리고 숏 포지션 거래를 계속 유지하는 것은 롱 포지션 거래에서보다 훨씬 어려운데, 하락 추세 동안 상승 조정이 꽤 날카롭게 나올 수 있기 때문이다.

그림2에서 우리가 돌파가 크게 나올 때 XRP를 매수한다는 규칙을 정하고, 또 스톱로스는 일간 캔들이(꼬리가 아니라) 돌파선 아래로 내려갈 때 실행한다는 규칙을 정한다면, 우리는 12월 중순에 매수해서 1월에 추세가 바뀔 때까지 보유해서 상당

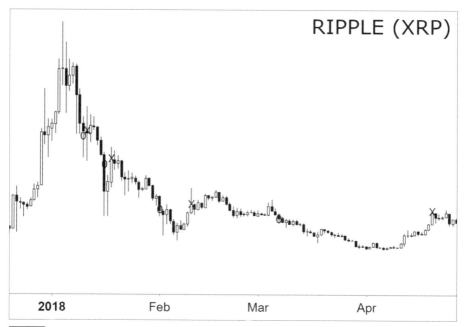

그림2 차트: Trading View

한 수익을 챙길 것이다. 우리가 같은 기법을 1월 이후에 숏 포지션에서 사용한다면, 그림2와 같은 결과를 얻게 된다.

차트에 표시된 'O'은 돌파 시 공매도이며, 'X'는 캔들이 당일에 돌파 지점 위에서 끝날 때 그 거래의 청산을 나타낸다. XRP가 하락세임에도 각각의 공매도가 손실로 끝난다!

따라서 돌파(또는 이탈)를 이용한 공매도는 상승 조정이 너무 심하기 때문에 애초에 성공할 가능성이 없다. 그래도 굳이 시도해보겠다면 이동평균선을 이용해 좋은 매도 지점을 찾는 것이 더 나은 전략일 것이다. 그림3에서 나는 10일 MA 및 20일 MA로 구성된 **MA 교차 시스템**을 사용했다. 우리는 10일 MA(연한 회색 선)가 20일 MA(진한 회색 선) 아래로 교차할 때마다 공매도('O')하고, 연한 회색 선이 다시 진한 회색 선 위로 교차할 때마다 거래를 청산('X')한다.

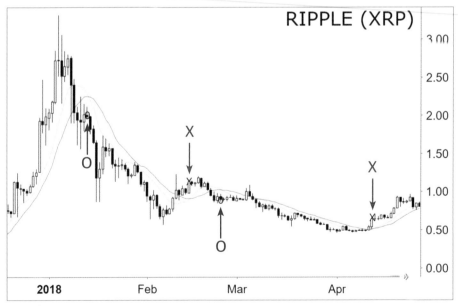

그림3 차트: Trading View

이번에는 성적이 훨씬 좋아서 공매도가 두 번뿐이고 이 시스템이 괜찮은 수익을 올린다. 그러나 1월의 MA 교차는 우연히 일시적인 상승 반등 중에 나온 것이므로 이것은 꽤 운이 좋은 경우였다는 점에 주의해야 한다. 반등한 다음 가격 움직임이 하향이어서 공매도가 자동 청산되는 것을 막아준 덕분이다.

공매도는 분명히 약세장에 적합하고 강세장에서는 성공하기가 굉장히 어렵다. 강세장에서도 시장이 마치 자석처럼 작용해 심지어 '잡코인'(shitcoin)[55]을 포함해 무엇이든 위로 끌어올리기 때문이다. 그러나 공매도는 여러분이 베팅의 위험성을 회피하고 포트폴리오의 전반적인 리스크를 줄일 수 있도록 해주기에 강세장에서도 유용한 기능을 한다.

2017년 호황기에 여러분이 정말로 유망한 암호화폐 세 종목을 매수하고 잡코인 세 종목을 공매도한다고 해보자. 여러분은 모든 포지션을 이후에 나오는 폭락 기간에 보유한다(좋은 생각이 아니지만). 그러면 결과는 다음과 같을 것이다.

	수익률 2017년 10월~2018년 1월	수익률 2018년 2월~7월
좋은 코인	+50%	-60%
더 좋은 코인	+100%	-55%
최고의 코인	+200%	-65%
잡코인	-20%	+80%
더 나쁜 잡코인	-10%	+85%
최악의 잡코인	-5%	+90%

---

55 '잡코인'은 미래가 없는 쓰레기 프로젝트를 일컫는 암호화폐 산업의 용어이다. 예를 들어 다음처럼 쓰인다. "못 들어가서 너무나 아쉽다, 친구야. 세력들이 지금 잡코인으로 돈을 긁어모으고 있어. 걔들은 람보르기니를 타고 다니는데 나는 스팸이나 먹고 있어."

호황기에 여러분은 세 번의 매수(long)에서 큰 수익을 내고 세 번의 공매도(short)에서 약손실을 보는데, 호황기는 잡코인도 상향으로 끌어올리기 때문이다. 그리고 폭락기에 여러분은 매수에서 큰 손실을 보지만 공매도에서 훨씬 더 많은 수익을 올린다. 분명히 이 전략은 여러분이 사전에 어떤 것이 진정한 잡코인인지를 파악해 놓아야만 성공할 수 있다. 잡코인은 강세장에서는 가장 조금 오르고 약세장에서는 가장 심하게 떨어진다.

공매도는 나쁜 것이라는 생각

'긍정적으로 생각하라', '긍정적 접근법', '긍정적 성장'. 우리는 항상 '포지티브(positive)'라는 단어를 긍정적으로 보라고 배운다(운동선수가 코카인 검사 결과 포지티브(양성)로 나오지 않는 한). 마찬가지로 우리는 주식이나 암호화폐를 매수하는 것이 그것들에 대한 긍정적인 생각을 보여주는 것이라 여긴다. '부정적(negative) 사고의 힘'에 대해 책을 쓰는 이는 아무도 없다. 그렇지 않은가?[55] 공매도의 문제점은 매우 부정적으로 들린다는 사실이다. 공매도는 암호화폐가 쓰레기라서 가격이 내려갈 것으로 판단하기 때문에 하는 것이며 계단 아래로 조금 더 밀어 넣겠다는 의미를 담고 있다.

2008년 금융위기가 닥치고 내가 은행 주식을 공매도할 때 언론은 나와 같은 사람들을 정말 나쁜 악당으로 묘사했다. 한 신문은 우리에게 "핀스트라이프[56]를 입은 강도"라고 이름 붙였다.(나는 금박장식 양단에 물방울무늬 앙상블을 선호하기 때문에 이건 정말 부당한 얘기였다.) 금융감독 당국은 우리가 은행 주식의 주가를 끌어 내리고 완벽히 게 건실한 은행을 구제 불능으로 몰아가고 있다고 주장했다. 물론 전혀 사실이 아니었지만, 금융 공황 사태에는 언제나 당국이 비난할 희생양이 필요하다. 이 은행들은 모두 기본적으로 파산 상태의 엄청난 빚을 지고 있었고 정부가 납세자들의 돈으로 구제해주지 않았다면 대다수가 말 그대로 망했을 것이다.

공매자들은 실제로 기업에 공정한 가격을 매기는 과정에 도움이 된다. 그들은 '긍정적인' 트레이더들이 치어리더로 활동하느라 너무 바빠서 숫자들을 주의 깊게 볼 수 없을 때 거짓말과 사기, 분식회계를 뿌리 뽑는다. 그리고 지나치게 흥분한 시장을 현실이라는 건강한 처방으로 가라앉히는 데 도움을 준다.

10년이 지난 현재, 공매도가 금융 붕괴를 초래했다고 비난하는 사람은 없다. 이제 우리는 그 주범이 은행가, 감독기관, 주택담보대출 브로커, 신용평가기관이었다는 사실을 알지만 당시에 당국은 손쉬운 희생양을 선택했다. 그들 생각에는 공매자들이 큰 골칫거리였고 그들이 부정적인 입장을 멈춘다면 은행 주식은 회복하고 모든 은행이 어떻게든 마법처럼 정상화되어 우리가 모두 행복해지리라 생각했다.

2008년 9월, 영국의 규제 당국은 은행 주식의 신규 공매도를 전면 금지했다.(규제 당국에게는 안타깝지만, 내게 영향을 주기에는 너무 늦었다. 내 공매도는 이미 시작되어 몇 달 동안 진행 중이었다.) 며칠 뒤 증권거래위원회(SEC) 위원장이 "한시적으로 금융주 공매도를 금지한 긴급명령은 시장의 균형을 회복시킬 것"[58]이라고 선언하는 등 미국도 그 뒤를 따랐다.

---

56 이 책은 예외로 한다.
    www.amazon.co.uk/Power-Negative-Thinking-Unconventional-Achieving/dp/1477807241
57 세로줄 무늬의 정장으로 부와 지위를 상징한다.-옮긴이
58 'S.E.C. Temporarily Blocks Short Sales of Financial Stocks', New York Times, 19
    September 2008. www.nytimes.com/2008/09/20/business/20sec.html

만세! 드디어 시장의 '균형'을 찾게 될 것이다. 그림4에서 그 말도 많은 시장 균형에 대해 살펴보자.

뭐라고? 설마 그런 일이? 공매도 금지는 금융주의 하락세에 거의 영향을 주지 못했다. 은행 주식은 완전 쓰레기가 되어 아무도 사려는 사람이 없었기에 계속해서 하락했다. 게다가 다른 주식들과 세계 경제까지 함께 끌어내렸다.

앞서 말했듯이 책과 영화로 나온 「빅 쇼트」의 영웅들은 은행 문제를 누구보다도 먼저 찾아낸 공매자들이었다. 그들은 이 문제를 함구한 게 아니라 들어야할 사람들 모두에게 알렸다! 너무 늦기 전에 세상을 구하고 싶었지만 아무도 그들의 부정적인 소리를 듣고 싶어 하지 않았다.

영국에서 제일 유명한 공매자 사이먼 코크웰은 자신에 대한 악평을 받아들이고

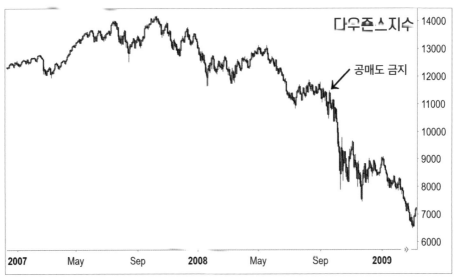

그림4 차트: Trading View

이블 크니블[59]이란 별명을 좋아했다. 내가 그를 만났을 때, 그는 유쾌한 산타(나쁜 소식으로 가득한 자루를 든)처럼 보였다. 그는 심지어 자신의 책에 사인까지 해 줬다.

Best wishes,
EVIL

---

59 Evil Knievel, 1938~2007. 위험한 모터사이클 묘기로 유명한 미국의 전설적인 스턴트맨.-옮긴이

PART

3

극복해야 할
심리적 함정과
트레이딩 원칙

"게임은 변하지 않으며 인간의 본성도 변하지 않는다."

- 제시 리버모어 -

우리가 놓치고 있는 요소

이제 여러분은 거래 계좌를 개설했고 이 책에서 검증된 규칙들을 배웠다. 이 규칙들의 대부분은 수 세기 동안 트레이더들이 엄청난 수익을 내며 사용해 온 것들이다. 여러분은 트레이딩을 시작했고 1년 동안 열심히 노력한 후 그동안의 성적을 살펴보려 의자에 앉아 있다.

여러분은 돈을 다 잃었다.

"뭐야? 어떻게 이럴 수가?"

여러분은 규칙들을 배우고 그대로 따르려 정말 노력했지만, 거부할 수 없는 힘 같은 것에 이끌려 몇 번이고 비이성적인 결정을 내린 것이다.

우리가 놓치고 있는 것은 바로 인간적인 요소이다.

제시 리버모어의 비극

제시 리버모어는 나의 영웅이다. 내가 자주 인용했으니 여러분도 아마 짐작했을 터이다. 그의 통찰력은 나뿐만 아니라 수많은 성공한 트레이더들에게 신선한 충격이었다. 에드윈 르페브르의 『어느 주식투자자의 회상(Reminiscences of a Stock Operator)』이라는 책을 강력히 추천한다.[1] 제시와의 상세한 인터뷰를 바탕으로 쓴 이 책은 자서전과도 비슷하며 그의 가장 훌륭한 트레이딩 지혜를 담고 있다.

그러나 제시는 포지션 크기에 대해서는 몰랐다. 당시 그런 생각은 아직 트레이딩 업계에서는 널리 알려지지 않았었다. 각각의 거래에 적은 비율의 자본금을 거는 나의 규칙은 그에게 생소하게 들렸을 것이다. 제시는 십대에 보스턴의 사설 거래소에서 큰돈을 걸곤 했는데, 그 때문에 그는 '꼬마 투기꾼'이라는 별명을 얻었다. 또 그 때문에 무일푼에서 세계 최고 부자로, 세계 최고 부자에서 무일푼으로, 천국과 지옥을 오가는 삶을 반복하며 살았다.

롤러코스터 같은 경력으로 인해 그는 정신적으로 피폐해졌고, 1940년 11월 28일 맨해튼의 셰리-네덜란드 호텔 화장실에 들어가 총으로 자살했다. 유서에서 그는 아내에게 이렇게 썼다.

"나는 실패자야… 싸움에 지쳤어."

너무나 가슴 아픈 말이다. 만일 그가 현대의 자산관리 규칙과 심리학적 통찰을 접했더라도 그런 비극적인 결말을 맞이했을지 정말 궁금하다.

나는 제시처럼 파산하는 것을 방지하고, 사람의 정신을 무너뜨릴 수 있는 극단

---

1 www.harriman-house.com/reminiscences

적인 기복으로부터 스스로를 보호하는 리스크 관리에 대해서 이미 설명했다. 다음 장에서는 우리가 누구나 겪는 심리적 결함이나 **편견**, 그리고 그것이 우리의 트레이딩 실적에 어떤 영향을 미치는지에 대해 설명하겠다.

자신의 결함과 약점을 알면 성공과 좌절감을 주는 실패 사이에 큰 차이를 만들 수 있다. 나머지는 여러분 몫이다. 나는 규칙을 프로그램할 수는 있지만, 여러분을 프로그램할 수는 없다.[2]

---

2   저자 메모: 이 책의 50주년 판의 경우, 다음 문장으로 바꾸겠다. "나는 규칙을 프로그램할 수 있고 나는 여러분도 프로그램할 수 있다. 여러분의 뇌를 www.glengoodman.com에 업로드 해보라. 결과를 보장한다."

중요한 건 멘털이다

2000년대 중반 어느 날 아침, 나는 침대에서 일어나 아침을 먹고 출근을 했는데 ITN 빌딩에 다다르자 밖에서 담배를 피우는 동료가 보였다. 그는 걱정스러운 표정으로 나를 응시하고 있었다.

"괜찮아, 글렌?"

그가 말했다.

"너 좀비 같아!"

나는 그를 멍하니 쳐다봤다.

"방금 1만2,000파운드를 잃었어."

나는 대답하고 사무실로 걸어 들어갔다.

인생의 이 시점에서 나는 이미 지난 장들에서 여러분에게 전해준 지식 대부분을 습득한 상태였다. 나는 어느 정도 책도 읽었고 경제적인 성공도 이룬 노련한 트레이더였다. 하지만 정확하게 그게 문제였다. 몇 년 동안 실패에 대처하는 법을 배운 후의 성공이 내게는 오히려 걸림돌이 되었다.

매매하는 법을 배우는 것은 전투의 절반일 뿐이다. 나머지 절반은 여러분의 멘털에 달려있다.

마진콜의 함정[3]

돈 잃고 좋아할 사람은 없다. 트레이더도 마찬가지다. 우리는 1,000파운드를 잃었을 때의 고통을 1,000파운드를 땄을 때의 기쁨보다 훨씬 더 크게 느낀다. 이런 불균형은 때때로 우리의 트레이딩 결정을 왜곡해 수익을 못 내게도 하지만, 빈곤으로부터 우리를 보호해주는 자연 본능이기도 하다.

내가 트레이딩으로 돈을 잘 벌게 되기 전까지 나의 거래 자본은 몇 해 동안 내 조심스러운 본능 덕분에 지킬 수 있었다. 그리고 돈을 많이 벌수록 나는 리스크를 더 크게 걸었는데, 수익이란 게 진짜 돈이 아니었기 때문이다. 그렇지 않은가? 수익은 놀이 돈이고, 도박 돈이고, '잃어도 상관없는 돈'이다. 그 돈은 애초에 정말 내 돈이 아니었으니까.

이게 바로 내가 갖고 있던 생각이었다. 내가 1만2,000파운드를 잃고 내 어리석음에 완전히 충격을 받아 좀비처럼 터벅터벅 회사에 걸어가기 전날까지는. 잃는다고 인생이 바뀔 만큼 큰 액수는 아니었다. 솔직히 말해서 내 전반적인 자금 사정에 큰 영향을 줄 정도는 아니었지만 나는 내가 그런 풋내기 실수를 했다는 것이 믿기지 않

---

3   margin call, 주식이나 선물 등 금융 거래에서 가격 변동으로 손실이 발생하여 증거금이 부족해졌을 때 자금을 보충하라는 요청을 말한다.–옮긴이

왔다. 그 일로 나 자신이 침착하고 유능한 트레이더라는 믿음이 송두리째 흔들렸다.

나는 1만2,000파운드의 수익을 날리는 실수를 하기 전 몇 주 동안 사실 큰 수익을 벌어들였다. 그런데 무슨 운명의 장난이었을까? FTSE 100에서 매매 기회가 눈에 들어왔다. 돌파가 나오고 있었고 상승하리라는 확신이 들었다. 그래서 상당한 금액을 베팅했다. 예상대로 시장은 계속 상승했다. 나는 너무나 자신만만했다.

잠깐만, 나는 생각했다, 계속 올라갈 걸 뻔히 알면서도 이렇게 돈을 적게 태우는 건 바보짓 아닌가? 내 스프레드 베팅 계좌는 아직 작지만 수익이 불어나고 있었고 ITN 사람들은 나를 트레이딩 전문가로 인정하며 내게 자주 조언을 구했으며, 나는 내가 누구보다도 뛰어난 돈벌이 귀재라는 생각이 들기 시작했다. 시장이 상승하리라 확신했기에 나는 투자금을 두 배로 늘렸다. 그런데 마술이라도 부리듯 시장이 급반전하며 하락하기 시작했다. 난 속으로 생각했다, 괜찮아, 문제없어, 상승 추세에 나오는 평범한 조정일 뿐이야, 예상대로야, 그냥 이대로 버티기만 하면 돼.

나는 곧 진땀이 나기 시작했다. FTSE 100은 너무나도 당연해 보이는 자리에서 반등하지 못했다. 결국 스톱로스가 발동됐고 나는 쓰라릴 정도로 큰 손실을 보았다(판돈을 두 배로 키웠기 때문에). 그리고 물론 내가 팔자마자, 시장은 다시 상승하기 시작했다! 그래, 나의 판단은 줄곧 틀리지 않았다. 나는 다시 매수했고, 이제 큰 손실을 만회하려 충동적으로 원래 투자금의 네 배를 걸었다. 나는 대박을 터트릴 것이다. 반드시.

시장이 상승했다! 나는 추가로 더 매수했다. 내 역대 최고의 승리가 될 것이다.

네 시간이 지나 나는 몹시 흥분해서 화면을 노려보고 있었다. 눈을 뗄 수가 없었다. 소변이 너무 마려웠는데 화장실 갈 시간이 없었다. 시장은 나의 손절선 아래로 다시 떨어졌지만 나는 무시했다. 빌어먹을 스톱로스, 지가 아주 똑똑하다고 생각하나, 아니지 내가 더 잘 알아. 시장은 나시 올라갈 기야!

곧 브로커로부터 긴급 마진콜을 받았다. 레버리지로 스프레드 베팅을 하고 있었기 때문에 내 계좌의 돈은 모두 소진되었고, 당장 돈을 채워 넣지 못한다면 내 포지션은 브로커에 의해 자동으로 청산될 처지였다. 그래서 직불카드를 동원했고 추가로 몇천이 계좌에 들어갔다.

두 시간 후 나는 다시 직불카드를 꺼내야만 했다. 그리고 다시 두 시간 후, FTSE는 하락을 멈출 것 같지 않았고 내 계좌는 텅텅 비었으며 내 예금 계좌에서 송금하려면 며칠을 기다려야 했다. 여기까지가 한계였다. 눈물과 좌절을 삼키며 나는 거래를 청산해야만 했다. 나는 하루 만에 1만 2,000파운드를 잃었다.

왜 돈을 벌수록 무모해질까

15년 전 경제학자 리처드 세일러는 15년 후의 내가 왜 1만 2,000파운드를 잃게 되는지를 이미 알고 있었다. 그는 우리가 돈을 가지고 비이성적으로 행동하는 방식에 대한 수많은 통찰력을 보여주며 **심리 회계** 이론[4]을 발전시켰다. 그의 실험에 따르면 도박꾼들은 최근 카지노에서 딴 '하우스 머니'와 일을 해서 번 돈을 똑같이 취급하지 않았다. 그들은 하우스 머니를 가지고 도박을 할 때 훨씬 더 무모했다.[5]

마찬가지로 나는 트레이딩에서 돈을 많이 '땄기' 때문에 무모하고 거만했다. 그

---

4   The theory of mental accounting, 사람은 머릿속으로 이득과 손실을 서로 다른 계정에 두고 각각 따로 계산한다는 이론.-옮긴이

5   Thaler and Johnson, 1990. 'Gambling With the House Money and Trying to Break Even: The Effects of Prior Outcomes on Risky Choice'. www.researchgate.net/publication/227344939/download

돈을 따기 위해 몇 주간의 고된 노력이 필요했다는 사실은 개의치 않고 여전히 횡재처럼 느꼈기 때문에 평소 일을 해서 번 돈이라면 절대 감수하지 않았을 위험을 감수했다. 세일러는 또한 내 작은 재앙의 두 번째 이유가 본전을 찾으려는 절박함 때문이라는 사실도 알아냈다. 첫 번째 FTSE 거래가 잘못되었기 때문에 나는 손실을 만회하기 위해 과도한 위험을 감수할 용의가 더 생겼고, 심지어 은행 계좌에서 돈을 이체하기까지 했다. 자, 여기에는 두 가지 중요한 교훈이 있다.

1. 손실을 좇지 마라.
2. 수익은 진짜 돈이지 카지노 칩이 아니다.

15장에서는 지금까지 배운 모든 교훈을 세계 최고의 공식 하나로 집약할 것이다. 그리고 교훈 얘기가 나온 김에 사람들의 여러 심리적 성향에 대해서도 살펴보자.

왜 하락하면 팔지 못할까

3장에서 나는 두 가지 핵심 규칙을 소개했다.

1. 수익은 늘려라
2. 손실은 줄여라

이 두 가지는 가장 중요한 규칙이지만 고통을 피하고 쾌락을 추구하려는 우리의 원초적 본능과 어긋나기 때문에 지키기가 매우 어렵다. 우리는 성공한 포지션을 매도하는 즐거움을 좋아하지만 실패한 포지션을 청산해 손실을 '진짜'로 만드는 고통은 싫어하기 때문에 매도를 회피한다.

수익이 발생한 승자를 너무 일찍 팔고 손실이 발생한 패자를 너무 오래 보유하려는 성향은 셰프린과 스테트먼 교수의 같은 제목의 글 '승자를 너무 일찍 팔고 패자를 너무 오래 보유하려는 성향(1985)'에서 처음 확인되었다.[6] 그들은 이런 인간의 성향을 투자성향효과라고 불렀다.

1997년 UC버클리 대학의 부교수 테런스 오딘(Terrance Odean)은 6년 동안 트레이더 1만 명의 계좌를 분석한 대단한 논문을 발표했다.[7] 그는 투자성향효과가 큰 영향을 미치고 있음을 발견하고 그림1에서 예시된 바와 같이 이 투자성향효과가 '기준점', 즉 우리가 지지선과 저항선이라고 부르는 것의 중요성을 설명할 수 있을 거라고 주장했다.

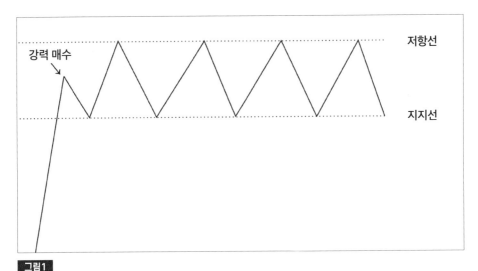

그림1

오딘의 이론에 따르면 많은 트레이더가 특정 가격에서 매수한 후 가격이 내리기 시작하면 그들 대부분이 매도하기를 꺼리기 때문에 매도 압력은 줄고 가격이 다시 오르기 시작한다. 만일 가격이 매수 지점 이상으로 오른다면 일부 트레이더는 자신의 이익을 실현하기 위해 기꺼이 매도할 것이고, 이런 매도 압력은 다시 가격을 끌어내리게 된다. 따라서 우리는 투자성향효과가 어떻게 많은 사람이 매수한 지점 주위에서 지지선 및 저항선을 생성하는지 알 수 있다.

그의 연구 결과 중 가장 주목할 만한 점은 만 명의 트레이더가 수익이 난 주식을 매도한 해에, 그 매도된 주식은 그들이 손실이 나서 계속해서 보유하던 주식보다 3.4% 더 많이 올랐다는 사실이다. 손실 중이던 주식은 트레이더가 바랐던 대로 반등하기보다는 시장의 다른 주식들보다 계속해서 저조한 수익률을 보였다.

글렌의 유용한 팁: 분산투자는 손절매 상황에 대처하는 데 정말 도움이 된다. 각각의 포지션이 전체 포트폴리오에서 차지하는 비중이 작기 때문에 포지션 하나에서 문제가 생기더라도 그 손실은 바다에 떨어지는 물 한 방울 정도일 것이다. 따라서 편안한 마음으로 손실 주식을 내칠 수 있다.

매몰 비용의 오류

정말로 고대하던 스위스에서의 주말 스키 여행을 500파운드에 예약했다고 상상해

---

6   Shefrin and Statman, 1985. 'The Disposition to Sell Winners Too Early and Ride Losers Too Long: Theory and Evidence'.
     www.researchgate.net/publication/4743153_The_Disposition_to_Sell_Winners_Too_Early_and_Ride_Losers_Too_Long
7   Odean, 1998. 'Are Investors Reluctant to Realize Their Losses?' faculty.haas.berkeley.edu/odean/papers%20current%20versions/areinvestorsreluctant.pdf

보자. 그리고 몇 수가 지나 여러분은 프랑스에서의 주말 스키를 또 예약하는데 이번에는 1,000파운드이다. 비록 가격은 프랑스가 더 비싸지만 여러분은 프랑스보다 스위스 여행이 더 재미있을 것이라 기대하고 있다.

그런데 불현듯 같은 주말에 실수로 두 여행을 예약했고 환불이 안 된다는 걸 알게 되었다! 한 표는 사용하고 다른 표는 버려야 한다. 여러분은 어떤 스키 여행을 선택할 것인가?

- 1,000파운드 프랑스 여행
- 500파운드 스위스 여행

심리 연구[8]를 위해 61명의 학생에게 이 질문을 던졌다. 그들 대부분은 프랑스 여행을 선택했으며, 거기에 돈을 더 많이 썼기 때문이라고 말했다.

여러분이 심리학과 학생들처럼 프랑스 여행을 선택했다면, 여러분은 **매몰비용오류**에 빠진 것이다. 이성적인 선택은 프랑스 여행보다 더 큰 즐거움을 주리라 믿었던 스위스로 여행을 떠나는 것이지만, 여러분의 판단은 이미 발생한 비용 때문에 흔들렸다.(즉, 매몰되었다.) 사실은 그 돈은 써버려서 사라지고 이제는 의미가 없는 돈이다. AI 프로그램이라면 이미 사라진 돈이 그 결정에 영향을 주도록 허용하지 않았을 것이다. 왜냐하면 결정은 오로지 어떤 휴가가 더 큰 만족감을 줄 것인지에 따라 이루어져야 하기 때문이다(AI 프로그램은 데스크톱 컴퓨터에 맞는 스키 한 켤레를 찾아야겠지만).

3장에서 나는 게임플레이 주식이 사실상 휴지 조각이 될 때까지 어떻게 가지고 있었는지를 설명했다. 이는 매몰비용 오류의 한 예였다. 나는 그 회사를 조사하는데 시간과 노력을 많이 들였고 심지어 그들의 본사를 방문하기도 했다. 또한 많은 돈을 그 주식에 넣었는데 충분한 수익을 얻지 못한다는 생각을 견딜 수 없었다. 그 때문에 나는 언젠가 내 수고에 대한 대가를 받을 수 있으리라는 헛된 희망 속에서 기꺼이 버티며 돈을 더 많이 잃을 각오를 했던 것이다.

잃은 돈을 매몰비용으로 치부하고 넘어가는 것이 합리적인 행동이었겠지만, 나는 반대로 실패한 투자에 돈을 더 낭비하고 말았다. 적어도 머릿속 한 편에서 장기적으로는 돈을 더 많이 잃게 되리라 알고 있으면서도, 우리는 왜 죽어가는 투자를 붙잡고 있는 걸까? 왜냐하면 많은 연구 결과가 보여주듯이 우리는 '미래의 우리'보다는 '현재의 우리'에 관심을 쏟기 때문이다. 우리는 대개 현재의 작은 고통보다 미래의 큰 고통에 관대하다.

최근에 나는 주식이나 암호화폐를 팔고 나면 의식적으로 즉시 다음으로 넘어간다. 보통 앞으로 며칠이나 몇 주 동안 그 암호화폐의 가격을 확인하지 않고, 또 '그랬다면 어땠을까?' 하는 생각도 하지 않는다. 그냥 잊고 더 나은 종목으로 옮겨간다.

여러분이 프랑스 여행을 선택했다면 똑똑한 사람들도 늘 이런 실수를 한다고 자신을 위로해도 좋다. 내가 이 글을 쓰는 현재, 비록 대중과 대부분의 정치인이 반대하고 있지만, 영국 정부는 대규모 HS2 철도 계획[9]을 강행하고 있다. 여기에는 예상보다 훨씬 더 큰 비용이 들어갈 수도 있는데, 선로가 놓이기도 전에 이미 40억 파운드가 기획 단계에 투입되었다. 만일 이 철도 계획이 폐기되면 이 금액은 허공으로 사라진다. 그러나 이 돈은 이미 다 쓰고 사라졌으니 결정에는 절대 영향을 주어서는 안 되지만, 정치인들도 감정적인 인간이기 때문에 40억 파운드는 매우 중요하

---

8   Arkes and Blumer, 1985. 'The Psychology of Sunk Cost'. pdfs.semanticscholar.
     org/e456/4b88ca2349962a707b76be4c75076ad6bd43.pdf

9   High Speed 2 project, 영국 전역의 주요 거점 도시를 최대 시속 360km의 고속 열차로 연결하는 교통
     망 구축 사업.-옮긴이

다. 따라서 그들은 어쨌거나 계획대로 진행할 것이다. 현재 예상 비용은 550억 파운드지만, 유출된 보고서에 따르면 800억 파운드 또는 그 이상으로 늘어날 수 있다고 한다.

손실에 담담해지는 훈련

손실은 물론 가슴 아픈 일이지만, 손실을 인정해야 하는 스스로를 위로하는 좋은 방법은 여러분이 받게 될 사랑스러운 세금 감면에 대해 생각해 보는 것이다.

첫째, 양도소득세를 내야 할 만큼 충분한 수익을 올리고 있다면 축하를 드린다!

둘째, 손해를 보고 파는 것이 언짢다면 그 때문에 줄어들 세금에 대해 생각해 보라.

현개 영국에서는 암호화폐 수익에 대해 주식과 비슷한 방식으로 세금이 부과된다.[10] 즉, 일반 투자자라면 아마 비과세 한도(2019/20년 과세 연도의 경우 1만 2,000파운드)를 모두 적용한 후에 남은 수익(손실 제외)에 대해 양도소득세를 납부할 것이다.[11]

만일 여러분이 연속해서 매매에서 손실을 본다면 정말 실망스럽기는 하겠지만, 동전을 수백 번 던져보라. 여러분은 얼마 지나지 않아 다섯 번 연속해서 앞면이 나오거나 일곱 번 연속해서 뒷면이 나오는 경험을 곧잘 하게 될 것이다. 거래에서 연

---

10 한국은 2023년 1월부터 가상자산의 양도차익이 연 250만 원 이상이면 소득세 20%를 부과하는 세법 개정안이 2021년 12월에 통과되었다.-옮긴이

11 거래 규모가 크고 수준이 높은 투자자는 '트레이딩을 운영하는 주체'로 분류될 수 있으며, HMRC(Her Majesty's Revenue and Customs, 영국 국세청-옮긴이)에 따르면 양도소득세 대신 거래 수익에 대해 소득세와 국민보험을 낸다. 그러나 HMRC는 이것은 '예외적 상황'일 뿐이라고 강조한다. 또한 임호화폐 채굴에서 얻은 수익이나 사업주로부터 받은 암호화폐 역시 양도 소득이 아니라 소득으로 간주한다. 물론 이 모든 사항은 변경될 수 있으므로 최신 내용은 HMRC 웹사이트를 참조 바란다.

속해서 잃는 일은 어쩔 수 없지만, 그렇다고 해서 여러분이 형편없는 트레이더라는 뜻은 아니다. 그러나 만일 손실이 여러분의 심기를 건드리기 시작한다면 여러분은 스스로 한계와 문제를 만드는 '자기 방해(self-sabotaging)'에 빠질 수 있다. 그런 일은 절대 없어야 한다.

또한, 여러분이 정말로 어려운 거래 환경에 들어갔을 가능성도 있다. 몇 달(또는 몇 년)은 시장이 좋아서 돈 벌기가 쉽고, 또 몇 달은 별로인 경우가 있다. 그러므로 마음을 편히 가져라. 연속해서 손실을 본다면 매번 타격이 크지 않도록 당분간 거래 규모를 낮추는 방법을 고려해보라.

암호화폐는 당신의 연인이 아니다

거래에 지나치게 집착하는 데에는 여러 심리적 편견이 관련되어 있다. '소유 효과', '현상유지편향', '친근성편향', '확증편향' 등이 그것이다. 이런 편견들은 모두 소유물을 아주 특별한 애정으로 대하려는 인간의 심리를 말해준다. 이 때문에 나는 게임 플레이에서 또 실수를 저질렀는데, 바로 그 회사와 내 투자에 감정적으로 애착을 갖게 된 것이다.

투자와 트레이딩은 돈벌이에 관한 것이지 새로운 동전 모양 친구를 사귀거나 돌봐야 할 특별한 애인을 갖는 것이 아니다. 비트코인 투자자들은 이런 애착 편향에 특히 약한 모습을 보였다. 전체적인 '호들' 현상은 비트코인이 모든 통화의 지배자가 되리라는 준 종교적인 믿음으로 수백만은 아니더라도 수천 명을 끌어들였다. 이는 기본적으로 베이비 붐 세대의 '황금광(gold bug)' 현상과 맞먹는 밀레니얼 세대의 현상이다. 황금광이란 가격이 오르든 내리든 상관없이 금을 대량 보유하면서 그 노란 금속의 변치 않는 가치에 강박적인 믿음을 가진 (보통 꽤 주름이 많은) 사람들을 말한다. 이들 중에는 1980년에서 2007년 사이에 가진 돈 대부분을 금에 넣어둔 사람들도 있는데, 이 27년 동안 금값은 정확히 0% 올랐다.

이 특별한 마법의 돌이 최고라는 데에 의문을 제기하면 그들은 아주 방어적으로 나온다. 그러므로 그들과 논쟁하지 마라. 소용없다. 내 말을 믿고 그냥 천천히 돌아서는 게 좋다.

호들러(HODLer)들을 고생하게 만드는 가장 큰 심리적 편견은 **확증편향**으로, 이는 그들의 기존 신념을 확인해주는 정보를 찾아내고 그 신념에 모순되거나 의문을 제기하는 정보는 무시하려는 경향을 일컫는다. 여러분이 비트코인이 다른 모든 통화를 파괴할 것이라는 주장에 근거를 마련하고 싶다면 인터넷에서 서류철 100개를 채울 수 있는 충분한 정보를 찾을 수 있다.(정보를 인쇄해서 서류철로 정리하는 건 황금광들의 특기인데, 그렇게 책장을 가득 채워두면 자기주장이 꽤 근거가 있어 보이기 때문이다.) 문제는, 원한다면 그 반대 주장을 펼칠 수 있는 동일한 양의 정보 역시 얼마든지 찾을 수 있다는 것이다. 투자에서는 냉정함을 유지하고 열린 마음을 갖도록 노력하는 것이 중요하다.

장기 보유자들은 또한 '호들'의 **기회비용**을 고려하지 않는다. 이 경제 개념은 특정한 결정을 내릴 때 놓치는 모든 대안에 관한 것이다. 여러분이 가진 돈의 대부분을 27년 동안 금에 넣어 두고 그 금에서 아무런 이익을 얻지 못한다면, 이는 본전이 아니라 꽤 큰 손실이다. 왜냐하면 같은 금액이 주식시장에서는 엄청난 수익을 벌어 줄 수 있었기 때문이다. 기회비용이란 여러분이 놓친 모든 수익을 말한다.

나는 이 책에서 왜 약세장에서 호들이 좋은 생각이 아닌지 이미 설명했다. 그리고 시장이 횡보할 때도 호들은 좋은 생각이 아닌데, 바로 기회비용이 들기 때문이다.

만일 여러분이 아무런 성과도 없는 암호화폐에 돈이 묶여 꼼짝달싹 못하는 상태라면, 처음부터 그 암호화폐를 갖고 있지 않다고 가정하고 부정적인 의견을 말하면서 매수할 의향이 있는지 자문해보라. 만일 답이 '아니요'라면, 여러분은 이 암호화폐를 계속 보유해야 할지 고민해봐야 한다.

유명 암호화폐와 무명 암호화폐

사람들은 자신이 들어본 암호화폐에 투자하는 경향이 있고 또 자신이 들은 최신 뉴스에 과도한 비중을 두는 경향이 있다. 심리학자들은 첫 번째 본능을 **군집편향**[12]이라고 부르고 두 번째 본능은 **가용성편향**[13]이라고 부른다.

이름 모를 암호화폐보다는 비트코인과 같은 유명 암호화폐를 거래하는 것이 분명 더 편안하게 느껴지겠지만, 이름이 알려진 암호화폐라고 해서 항상 큰돈을 벌어주는 건 아니다.

그물을 넓게 펼쳐 여러분의 트레이딩 플랫폼에서 가격이 오르기 시작한 암호화폐들을 확인해 보라. 들어본 적이 없더라도 말이다. 나는 사실상 내게는 아무런 의미가 없고 아무도 그것에 대해 얘기하지도 않는 종목에서 현찰을 많이 벌어들였다.

알게 뭔가? 수익은 수익일 뿐이다. 비트코인이건 이름 없는 코인이건 수익을 내서 새 차를 사면 나는 그걸로 족하다.

---

12 herding bias, 자기 생각보다는 많이 알려진 군중의 행동을 따라 하는 인지적 현상.-이하 옮긴이

13 availability heuristic, 의사 결정 시 최근에 접한 내용이나 먼저 떠오르는 정보에 근거해서 행동하는 심리 현상.

'확실한 정보'의 무서움

이 세상에 '확실한 정보를 받았다'라는 말만큼 재앙을 불러오기 쉬운 말도 없다. 나는 지난 몇 년간 이 정보의 유혹을 뿌리치려고 무척 노력했지만, 가끔 유혹에 굴복하고 항상 후회했다. 믿을 수 있는 가족, 가장 똑똑한 친구, CNBC에 출연한 돈 많은 전문가로부터 정보가 나올 수 있지만, 출처가 어디든 반드시 무시해야 한다. 전설적인 시나리오 작가 윌리엄 골드먼의 불멸의 지혜를 떠올려 보자.

"아무도 알지 못한다… 무엇이 흥행할지 확실히 아는 사람은 영화계 전체에서 단 한 명도 없다. 매번 추측일 뿐이고, 운이 좋다면 근거가 있는 추측이란 것뿐이다."[14]

영화산업에서 통한다면 트레이딩에서는 두 배로 잘 통한다. 명심하라, 미래는 그 누구도 모른다.

바겐세일의 환상

CON-MAN-COIN[15] 세일 중
단 하루 할인된 가격!!! RRP 2달러.
~~1.50달러로 인하.~~
~~1달러로 인하.~~
이제부터 기간 한정 개당 0.50달러로 할인!!
놓치지 마세요!!!

싼 물건을 싫어할 사람은 없다. 그래서 우리는 **떨어지는 칼날을 잡는** 전형적인 매매 실수를 쉽게 범한다. 즉, 어떤 자산이 급락하면 우리는 떨어질 수 있는 만큼 떨어졌다는 생각에 매수하지만 그 칼날에 손가락을 잃고 나서야 그렇지 않다는 사실을 알게 된다. 맞다, 그것도 내가 게임플레이 주식에서 저지른 또 다른 실수였다. 가격이 내려가자 너무나 싸졌기 때문에 더 많은 주식을 사들인 게 문제였다.

2017년 호황기의 정점을 찍은 후 비트코인을 비롯한 다른 암호화폐에서 많은 사람이 같은 실수를 저질렀다. **기준점편향**(anchoring bias)은 우리가 특정 가격 수준을 표준으로 만들어 그것을 진정한 자연 가격 수준이라고 생각하게 한다.

우리는 사람들이 자기의 기대와 감정을 특정 가격 수준(일반적으로 투자에 원래 지불한 가격)에 고정함으로써 지지선과 저항선을 만든다는 사실을 이미 확인했다. 많은 사람이 어떤 자산이 최근에 도달한 최고가에 집착해서 그것을 적정 가격이라고 생각한다. 그 때문에 그들은 그보다 낮은 가격은 당연히 싸다고 느낀다.

리플(XRP)은 2017년 12월 갑자기 큰 인기를 끌면서 한 달이 채 안 돼 가격이 열 배나 넘게 올랐다! 그림2의 거래량 막대에서 알 수 있듯이, 차트 상단 근처에서 매수가 많이 발생했으며 매수자의 대다수는 가격 기대치를 그런 높은 수준에 굳게 고정했을 것이다. 가격이 하락하기 시작하면서 그들은 자연스럽게 이 새로운 가격을 싸게 느꼈을 것이고, 가격이 낮아질수록 더욱 싸다고 생각했을 것이다. 결국 많은 사람이 가격이 하락할수록 XRP를 계속해서 더 사들였을 것이다.(정확히 그렇게 한 사람들을 나는 몇 명 알고 있다.)

---

14 윌리엄 골드먼의 『Adventure in the Screen Trade』중에서.
15 사기꾼 코인-옮긴이

그림2는 떨어지는 칼날을 잡는 예의 진수를 보여준다. 2달러에 XRP를 매수한 사람들은 칼이 손가락 아래로 계속 떨어지면서 피를 흘렸을 것이고 1달러와 0.50달러에서 몇 번 더 깊게 베였을 것이다.

다시 한번 말하지만, 암호화폐를 팔기 전까지는 실제로 손해를 본 게 아니라는 주장에 귀를 기울이지 마라. 무의미하다. 만일 여러분이 3달러에 XRP를 대량으로 사서 보유하고 있는데, 현재 가격이 0.25달러라면 그것은 진짜 돈의 진짜 손실이다. 내 말을 못 믿겠다면 암호화폐 포럼에 들어가서 누군가에게 25센트짜리 XRP를 3달러짜리 지폐로 바꿔줄 수 있는지 물어보라.

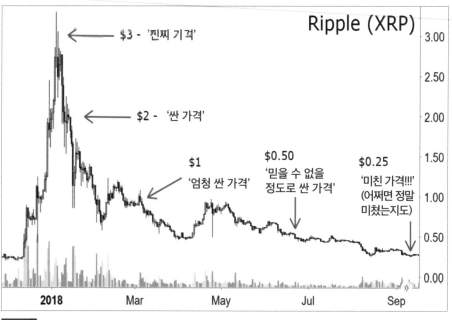

그림2 차트: Trading View

너 자신을 알라

어젯밤에는 잠을 설쳤다. 돌파가 나왔는데 제때 알아채지 못해서 너무나 후회스러 웠기 때문이다. TV 뉴스 스튜디오에서 암호화폐에 대해 인터뷰를 하느라 XRP에서 돌파를 놓쳤고, 이제 나의 포모는 정상 범위를 벗어났다. 내가 포모를 치료하려고 침대에서 일어나 기어코 그 암호화폐를 샀을까? 천만에, 나는 매수하지 않았다. 나 는 포모를 극복하고 내 거래 계획을 고수했다. 놓친 돌파를 쫓다가는 언제 망할지 모른다.

대신 나는 새로운 좋은 기회가 나오기를 참을성 있게 기다렸다(기분은 언짢았지 만). 바로 다음 날 또 다른 돌파가 나왔고 이번에는 정확한 시점에 매수했다. 그리고 가격은 그 돌파 시점에서 로켓처럼 솟구쳤으며 나는 그 거래에서 50%의 큰 수익을 냈다.

우리는 모두 주의력이 짧고 수시로 우울증도 겪는, 약하고 불완전한 인간이다. 거래에 대해 비이성적인 감정을 갖는 것은 괜찮지만, 그렇다고 거래 계좌에 그런 감 정을 싣는 것은 좋지 않다.

이 장에서 나오는 모든 심리적 편견을 이해하고 나면 - 비록 치유하지는 못하더 라도 - 그중 하나에 고통받을 때 더 잘 의식할 수 있으며 그러면 편견들이 여러분의 거래 결정을 좌지우지하지 못할 것이다. 먼저 나 자신을 알고 나서 돈벌이에 나서야 한다.

똑같은 일상에서의 탈출

니는 바삐 뛰어다녀야 하는 일에 굼뜬 편이다. 그래서 일찍 일어나 스트레스 받는 환경에서 일하는 걸 정말 싫어한다. 20대 중반에 LBC라디오에서 일일 방송의 신행자를 맡을 만큼 운이 좋았지만 안타깝게도 방송 시간이 새벽 5시에서 6시 사이였다. 그래서 나는 사회생활을 망쳤고 결국 라디오 방송을 접고 BBC와 ITV의 TV뉴스 기자가 되었다.

날마다 뉴스에 나오는 건 활기차고 도전적인 일이었다. 길거리에서 자주 사람들이 나를 알아보고 내 보도를 좋아한다고 말하기도 했다. 하지만 역시나 일찍 일어나고, 혼잡한 런던 지하철에서 누군가의 겨드랑이에 코를 박고, 저녁 뉴스에 맞춰 기사를 작성하기 위해 9시간 동안이나 정신없이 뛰어다녀야 했다. 2012년이 되자 나는 해마다 본업보다 투자에서 돈을 더 많이 벌었다. 수입이 두 군데라서 좋았지만 투자 수입 한 군데와 아늑한 이불 속이라면 훨씬 더 좋을 것 같았다. 그래서 나는 그만두었다. 나는 30대에 사실상 반 은퇴를 했고 그 어느 때보다 행복하다.

　나는 기분이 내킬 때 일어나고, 팬티 차림으로 한동안 빈둥거리고, 가족과 많은 시간(아주 많이는 아니지만)을 보낸다.

　이런 식으로 시간을 보낼 수 있는 건, 내가 분 단위 차트가 아니라 일간 차트를 확인하기로 선택했기 때문이다. 나의 매매는 비교적 횟수가 적고 간격이 길다. 그리고 앞서 설명했듯이 이 방법이 하루 종일 화면에 붙어 앉아 있는 것보다 실제로 수익률이 훨씬 높다. 단타를 한다면 아마 장기적으로는 돈을 잃게 될 것이다. 이는 통계로 밝혀진 사실이다.

중요한 건 행복한 삶이다

내가 좋아하는 차트는 보통 몇 주 또는 몇 달이 걸려 형성된다. 마음에 드는 암호화폐가 생기면 나는 **관심 목록**(watchlist)에 추가한다. 트레이딩뷰나 다른 차트 앱을 사용하면 자신의 관심 목록을 만들 수 있다.

　매일(또는 하루에 몇 번씩) 관심 목록을 확인하고 어떤 일이 있는지 알아볼 수 있지만, 이따금 확인하다 보면 때로는 돌파를 놓치는 경우가 분명히 생긴다. 이를 피하려면 특정 가격대가 깨질 때마다 문자 메시지가 오도록 설정하는 **가격 알림**(price alerts) 기능을 사용하면 된다.

　돌파의 첫 순간부터 놓치지 않으려면 시장에 역지정가 주문을 넣어 돌파가 시작되면 암호화폐를 자동으로 매수(또는 매도)하게 할 수 있다. 이 방법의 유일한 문제는 가격이 빠르게 치솟았다가 다시 돌파선 아래로 떨어지는 짜증 나는 거짓 돌파가 많다는 것이다. 때때로 이 모든 일이 단 몇 초 만에 일어나므로 작은 손실을 여러 번

보게 된다. 알림을 설정해두면 진입 시점을 결정하기 전에 빠르게 차트를 확인할 수 있다.

뭔가 일어나길 기다리며 하루 종일 거래 화면을 응시해서는 안 된다. 그러면 손가락은 매매하고 싶어 근질근질하게 된다. 그리고 뇌는 지루해져서 뭔가 할 일을 찾고, 아무것도 없는 곳에서 기회를 보고 성공 확률이 낮은 거래에 들어가기 시작한다. 결국 여러분은 화면을 응시하며 시간을 허비할 뿐만 아니라 더욱 가난해질 것이다. 그렇게 하는 대신 좋은 책을 읽음으로써 시장을 잊는 건 어떤가? 아니면 책을 쓰는 방법도 있다.(그게 바로 내가 지금 한 일이다.)

암호화폐를 자산의 하나로 인정하기

이미 주식이나 상품, 외환, 혹은 이 모든 것 이상을 거래한다면 암호화폐를 추가해서 전반적인 성적을 높일 수 있다.

암호화폐 시장은 가끔 얻는 엄청난 수익 외에도 **비상관성**(non-correlation)이라는 큰 장점이 있다. 예를 들어 여러분이 영국 주식만 거래한다면 여러분은 단일 시장에 상당히 크게 노출된다. 만일 그 시장이 폭락하면 여러분은 실제 돈을 순식간에 많이 잃는다. 그러나 여러분이 미국 주식도 포트폴리오에 넣어 투자를 다각화한다면 영국에 노출되는 비중을 줄이는 긍정적인 효과를 볼 수 있다. 미국 경제가 호황을 누리고 영국 경제가 침체하면 영국 주식이 하락하는 동안 미국 주식이 상승할 수 있으므로 포트폴리오의 변동성이 한 시장에 있을 때보다 줄어들게 된다.

다만 문제는 미국과 영국 증시가 강한 상관관계를 맺고 있다는 점이다. 다시 말해 두 시장은 많은 시간을 같은 방향으로 함께 움직이는 경향이 있다. 그래서 하나가 폭락하면 다른 하나도 폭락하는 경우가 많다. 포트폴리오의 전반적인 리스크를 낮추기 위해서는 주식 시장과 긴밀한 상관관계가 없는 시장에 투자함으로써, 한 시장의 수익이 다른 시장의 손실을 상쇄할 수 있도록 해야 한다.

지금까지의 모든 데이터는 암호화폐의 움직임이 주가나 국채 가격, 또는 금값 사이에 큰 상관관계가 없음을 보여준다. 주가가 하락해도 암호화폐는 영향을 받지 않는 것이 보통이다. 이는 투자자들에게 반가운 소식이다. 왜냐하면 포트폴리오에 암호화폐를 추가하면 전반적인 리스크 감소(또는 동일 수준의 리스크에서 더 높은 수익률)로 이어질 수 있기 때문이다.[16]

원칙을 지켜라

이제 모든 걸 정리할 시간이다. 여러분이 잘 기억할 수 있도록 이 책의 몇 가지 주요 교훈을 요약하면 다음과 같다.

1. 수익은 늘려라

2. 손실은 줄여라

3. 꺾일 때까지 추세를 매매하라

4. 밤에 잠을 잘 수 있을 만큼 거래 규모를 작게 유지하라

5. 암호화폐에 대해 조사하고 백서를 읽어라

6. 암호화폐와 사랑에 빠지지 마라

---

16 Chuen, Guo, Wang, 2017. 'Cryptocurrency: A New Investment Opportunity?'. papers.ssrn.com/sol3/papers.cfm?abstract_id=2994097

7. 다각화로 리스크를 분산하라

8. 차트를 명확하고 간단하게 유지하라

9. 수익은 도박 칩이 아니라 진짜 돈이다

10. 놓친 돌파를 좇지 마라

11. 실패한 투자에 돈을 더 낭비하며 손실을 좇지 마라

12. 떨어지는 칼날을 잡으려 하지 마라

13. 정보나 소문, 의견을 멀리하라

14. 내면의 목소리와 심리적 편견을 통제하라

15. 사기를 피하라. 사실이라고 하기에 너무 좋게 들린다면 대부분 사기가 맞다

그러면 마지막으로…

TV 리포터로 일하던 초기에 나는 그들이 '그러면 마지막으로…' 이야기하도록 불러내는 사람이었다. "소시지"라고 말하는 개나 A406[17]에 나타난 유령이 있으면 내가 어김없이 현장으로 출동했다. 네 살짜리 쿵푸 고수에게 얻어맞았고, 「반지의 제왕」 출연진과 춤을 추었고, 베테랑 팝 그룹 바나나라마와 진하게 키스하려고도 했다.(그들은 꽤나 잘 대처했다.)

키스 중에는 거래 차트를 확인하지 않았다. 이동 중에도 그랬다. 스마트폰 이전 시대에는 그렇게 할 방법도 없었다. 그리고 솔직히 그 때문에 자유로웠다. 이 말은 그때는 저녁에 모든 역지정가 주문을 내야 했다는 뜻이다. 트레이딩은 나의 일과 후 취미였는데 어쩌다 보니 점점 더 많은 돈을 벌게 되었다.

---

17 영국 런던의 동쪽과 서쪽의 여러 간선 도로를 연결하는 순환 도로.-이하 옮긴이

물론, 내가 자리에 없을 때 발동되도록 주문을 내는 것은 '최상'의 방법은 아니었다. 가끔 귀가해서 확인해 보면 그날 아침에 자동으로 체결된 거래에서 이미 손실이 나 있곤 했는데, 가짜 돌파였기 때문이었다. 때로는 수익 중인 포지션이 스톱로스가 발동돼 청산되기도 했는데, 가격은 다시 수직으로 반등해 있었다.

현실은 여러분이 화면 앞에 앉아 있건 아니건 간에 이런 **휩소**(whipsaw)[18]는 피할 수 없다는 것이다. 휩소는 추세 매매에서 감수할 만한 비용인데, 몇 번의 큰 추세가 그런 모든 작은 손실을 보상해주기 때문이다. 그리고 또 한 가지 감수할 수 있는 이유는 휩소가 여러분이 화면을 벗어나 온전한 삶을 살면서도 동시에 성공적인 트레이더가 될 수 있음을 의미하기 때문이다.

새로운 세대가 암호화폐의 출현으로 트레이딩에 눈을 떴고, 이제 거머리 같은 펀드 운용사로부터 돈을 빼서 한가한 시간을 이용해 부자가 될 수 있는 기회를 얻었다. 내가 그랬듯이.

이 책이 여러분을 저 장밋빛 미래로 안내하길 진심으로 바라며, 여러분의 여정에서 필요하다면 아래 정보를 이용해 언제든지 연락하길 바란다. 여러분이 책 내용에 대해 질문이 있다면 언제든지 답변할 준비가 되어있다. 그럼 안녕히.

웹사이트: www.glengoodman.com

페이스북: www.facebook.com/thesharesguy

트위터: @glengoodman

트레이딩뷰: GlenGoodman

---

18 일정한 추세에서 갑자기 흐름을 이탈하는 급격한 가격 등락, 또는 톱니처럼 가격이 출렁이는 현상.-옮긴이

찾아보기

ㄱ

가격 알림(price alerts) 255
가격 차트(price chart) 94
가상 지갑(virtual wallet) 82, 89-90, 161
　~오프라인 월렛, 콜드 월렛(offline wallets, cold wallets) 86-87
　~핫 월렛(hot wallets) 83-85
가용성편향(availability heuristic) 249
감정(emotions) 39, 67, 143, 198, 245, 253
강세장, 상승장(bull market) 39, 70, 119, 121, 135, 142, 147, 171, 179, 182, 185, 206, 212, 227-228
개인키(private key) 82, 85-86
거래량(volume) 94, 146-147
거래 화면(trading screens) 94-103, 124-151, 256
거물(big swinging dicks) 65
거짓 돌파(false breakout) 132, 148
거품(bubble)
　~인터넷(Internet) 47-48
　~의 단계(stages in) 40, 107-110
게임플레이(Gameplay) 54-57, 64, 67, 69, 244, 247, 251
고래(whales) 39
골렘(Golem) 51
공매도(short selling) 72-73, 141, 223-231
관심 목록(watchlist) 255
구글 크롬(Google Chrome) 60
구글(Google) 42, 47-48
군집편향(herding bias) 249
기술적 분석과 주식시장 수익(Technical Analysis and Stock Market Profits) 123

기술적 트레이딩 규칙의 성과(Performance of Technical Trading Rules) 64
기준점편향(anchoring bias) 251
기축통화(reserve currency) 27
기회비용(opportunity cost) 248
깃발형(flags) 138, 150, 182, 206
깃허브(GitHub) 155

ㄴ

네오(NEO) 177-180
네트워크 효과(network effects) 74
넷스케이프(Netscape) 59-61
노던록(Northern Rock) 71
뉴스 금지(news blackout) 170-172
뉴스위크(Newsweek) 44

ㄷ

다 홍페이(Da Hongfei) 177
닷컴 붕괴(dotcom crash) 56, 199
대니얼 제프리스(Daniel Jeffries) 177
대니얼 카너먼(Daniel Kahneman) 112
대시(Dash) 50, 137, 208-210,
대칭삼각형(symmetrical triangles) 136, 178, 181-182, 205
더 클랜(The Clan) 65-70
데이 트레이딩(day trading) 104-106
데이비드 월리엄스(David Walliams) 29
도박(gambling) 37, 238, 240
도지코인(Dogecoin) 50, 215-216, 218
돌파 지점, 돌파 시점(breakout point) 129-134, 136, 145, 148, 150, 175, 179, 181-182, 184-185, 188, 190, 203, 208-209, 212, 218, 222, 226, 253, 255, 258
디앱(DApps) 51

떨어지는 칼날 잡기(catching falling knives) 251-252, 258

ㄹ

라이트코인(Litecoin) 49
람보르기니는 언제?(When Lambo?) 27-28
랜덤워크 이론(random walk theory) 111
레딧(Reddit) 39
레버리지 거래(leveraged trading) 93, 97, 102
레저 나노 S(Ledger Nano S) 87
로그 차트(log charts) 197
로그주기멱함수법칙(LPPL, log-periodic power law) 199
로드맵(road map) 159
로버트 실러(Shiller, Robert) 112
로컬비트코인(LocalBitcoins) 88
롤러코스터 밈(roller coaster meme) 37
리스크를 동등하게 할당하기(risk parity allocation) 217
리처드 W. 샤바커(Richard W. Schabacker) 123, 138
리처드 세일러(Richard Thaler) 112, 240-241
리플(Ripple) 61, 109, 176-177, 215-216, 218, 220, 224-226, 251

ㅁ

마스터카드(MasterCard) 46, 89
마운트 곡스(Mt. Gox) 25
마이셀리움(Mycelium) 83-86
마이크로소프트(Microsoft) 60
마이클 루이스(Michael Lewis) 65
마진 거래(margin trading) 레버리지 거래 참조
마켓사이크(MarketPsych) 169
마틴 루이스(Martin Lewis) 29

매몰비용오류(sunk-cost fallacy) 244-246
매수 수량(amount to buy) 214-222
매수 호가(bid price) 100
머니세이빙엑스퍼트닷컴(MoneySavingExpert.com) 29
메타버스(Metaverse) 122
멧커프의 법칙(Metcalfe's law) 165-166
명목화폐(fiat currencies) 44, 81, 88
목소리 통제(control the voices) 115
목표 선택(choosing target) 116-123
밈(memes) 28, 37, 58

ㅂ

법정통화(fiat currencies) 명목화폐 참조
바이낸스(Binance) 90-91, 102
반전 캔들(reversal candle) 210-211, 221
백서(white papers) 160, 257
베이싱 패턴(basing pattern) 128
벤자민 그레이엄(Benjamin Graham) 152
벤처 캐피털(venture capital) 47
복리(compounding) 75
블록(blocks) 45
블록체인(blockchains) 45, 84, 156, 177
비공개 거래(closed trading) 33
비상관성(non-correlation) 256
비자(Visa) 46, 89
비탈릭 부테린(Vitalik Buterin) 32, 50, 155
비트스탬프(Bitstamp) 89
비트커넥트(Bitconnect) 30-34
비트코인(Bitcoin) 24-28, 180
 ~거래 곡선(trading curve) 67-69
 ~고래(whales) 39
 ~기축통화로서의(as reserve currency) 27
 ~데이 트레이딩(day trading) 105-106

~매도 시기(when to sell) 암호화폐 매도 시기 참조
~블록(blocks) 45
~블록체인(blockchains) 45
~사기(scammers) 29-31, 35
~사는 법(how to buy) 88-93
~사회적 감성 지표(social sentiment indicator) 168-170
~에 대한 버핏의 의견(Buffett opinion on) 42
~의 아류(offshoots of) 49
~의 창시(creation of) 42-44
~중개인 배제(lack of middleman) 46-48
~채굴 비용(cost of mining) 167
~채굴(mining) 45
~추세(trends) 119-121, 128-130, 133-135, 141-147, 191-192, 196-197, 204-206
~펀더멘털(fundamentals) 154-155
~포트폴리오 내의(in portfolio) 215, 217, 220-221
~폭락(crashes) 36-40, 62, 70, 121, 128, 164, 166, 256
비트코인 주소(Bitcoin address) 84-85
비트코인 채굴(mining Bitcoins) 45
빅 쇼트(The Big Short) 72, 73, 230

ㅅ
사기꾼(scammers) 29-30
~폰지 사기(Ponzi schemes) 30-35
사이먼 커크웰(Simon Cawkwell) 230
사토시 나카모토(Satoshi Nakamoto) 43-44, 167
사회적 감성 지표(social sentiment indicator) 162, 168-170
산티멘트(Santiment) 147-148, 174-175

삼각형(triangles)
~대칭삼각형(symmetrical) 136, 178, 181-182, 205
~직각삼각형(right-angled) 133-134, 150, 182-183, 185
생산비용 모델(cost of production model) 166-167
샹들리에 청산(chandelier stop) 195
세계 금융 위기(global financial crisis) 43, 70-71, 201-202, 214-217, 228-230
세계의 컴퓨터(The World Computere) 51
세금(tax) 101, 180, 246
손실 거래(losing trades) 57, 64, 211
손실은 줄여라(cut your losses) 63-64, 69, 75, 114-115, 207-211, 241, 257
수수료(fees) 100, 105
수익은 늘려라(grow your profits) 69, 75, 115, 241
스마트폰(smartphones) 47
스텔라(Stellar) 215-216, 218
스톱로스(stop-loss) 133, 191, 208-212, 219-220, 239
스프레드 베팅(spread betting) 101-102, 180, 239
심리 회계(mental accounting) 240
싱클레어 C5(Sinclair C5) 153-154
쐐기형(wedges) 137, 175-176, 201

ㅇ
아담 헤이즈(Adam Hayes) 167
아마존(Amazon) 11,42
아메리칸 익스프레스(American Express) 46
아모스 트버스키(Amos Tversky) 112
알트코인(altcoins) 49

암호화폐(cryptocurrency) 비트코인 및 개별 통화 참조
~를 포트폴리오에 추가하기(adding to portfolio) 256-257
~매도 시기(when to sell) 40, 188-213
~사고파는 법(how to buy and sell) 80-103
~사는 법(how much to buy) 214-222
~에 대한 버핏의 의견(Buffett opinion on) 42
~의 정의(definition of) 26
~중개인 배제(lack of middleman) 46-48
~채굴(mining) 45
암호화폐 거래소(crypto exchanges) 89-93, 102
암호화폐 공개(ICOs) 27, 156-161,
암호화폐 매도하기(selling cryptocurrencies) 41, 188-213
암호화폐 채굴(mining cryptocurrencies) 45
애착편향(attachment bias) 247
약세장(bear market) 119, 148, 170, 212, 227-228, 248
양도소득세(Capital Gains Tax) 246
어거(Augur) 51
어느 주식투자자의 회상(Reminiscences of a Stock Operator) 235
에드윈 르페브르(Edwin Lefèvre) 235
역지정가 주문(stop order) 97, 133
예금자 보호제도(Financial Services Compensation Scheme) 102
오프라인 월렛(offline wallets) 86-87
우버(Uber) 48
우수리 없는 큰 숫자(big round numbers) 117
울워스(Woolworth) 61, 143
워런 버핏(Warren Buffett) 42, 61, 75
원코인(One Coin) 31

위키피디아(Wikipedia) 157
윌리엄 골드먼(William Goldman) 250
윙클보스 쌍둥이(Winklevoss twins) 86-87
유동성(liquidity) 90, 100
유진 파마(Eugene Fama) 112-113
이더리스크(Etherisc) 52
이더리움(Ethereum) 27, 32, 50-51, 61-62, 95-96, 141, 148-150, 161, 178, 181-186, 215-216, 218
이동평균선 교차 시스템(MA crossover system) 226
이동평균선 교차(moving average crossover) 192
이동평균선(moving averages) 120-121, 189-193
이사벨라 카민스카(Izabella Kaminska) 25
이오스(EOS) 62, 215-216, 218
이자율(interest rate) 102
인스타그램(Instagram) 27
인터넷 익스플로러(Internet Explorer) 60, 62
일간 선 차트(daily line chart) 127

ㅈ
자동 청산(stopped out) 134
장 폴 로드리그(Jean-Paul Rodrigue) 40, 107
저항선(resistance line) 129-130, 184-185, 190, 208, 242, 251
전통적인 통화(traditional currencies) 43
제럴드 코튼(Gerald Cotton) 82
제시 리버모어(Jesse Livermore) 104-105, 114, 118, 203, 206, 212, 235
제임스 하우얼스(James Howells) 85
조정(corrections) 69-70
조지프 케네디(Joseph Kennedy) 14
존 메이너드 케인스(John Maynard Keynes) 72

종형 곡선(bell curve) 199
주가수익률(price-earnings ratio) 162
주문창(trading form) 96
중앙은행(central banks) 27, 43
중요한 건 멘털이다(head, where's yours at?) 237-253
증권거래위원회(SEC, Securities and Exchange Commission) 229
지갑 주소(wallet address) 82
지속형 패턴(continuation patterns) 137-138
지정가 주문(limit order) 97
지지선(support line) 129, 242, 251
지캐시(ZCash) 215-216, 218
지표(Indicators) 124, 217
직각삼각형(right-angled triangle) 133-134, 150, 182-183, 185

ㅊ

차트(charting) 124-151, 154, 156, 172, 207-208, 255, 258
찰스 폰지(Charles Ponzi) 30-31
초단타 매매(high-frequency trading) 105
추세 꺾임(trend bends) 107-110, 173, 188-189, 201, 203, 211, 222, 257
추세 트레이더(trend trader) 108, 110-115, 189, 205, 223
추세를 매매하라(trade the trend) 73-75, 110-115
추적 손절매(trailing stop) 191, 194-195

ㅋ

카를로스 마토스(Carlos Matos) 31, 34
칸나비스코인(CannabisCoin) 215-218
캔들(candlesticks) 126-128, 146, 210-211, 221

코인마마(Coinmama) 88
코인마켓캡(coinmarketcap.com) 31-34
코인베이스(Coinbase) 88-89
~코인베이스 프로(Coinbase Pro) 92
콜드 월렛(cold wallets) 86-87
쿼드리가CX(QuadrigaCX) 82
퀀텀(Qtum) 215-216, 218
크라우드펀딩(crowdfunding) 47
크라켄(Kraken) 92-101
크립토랩 캐피털(Cryptolab Capital) 165
크립토키티(CryptoKitties) 52-53
클라이브 싱클레어(Sinclair, Clive) 153-154
클래시컬 차팅(classical charting) 123
클록코인(CloakCoin) 215-216, 218

ㅌ

택시 회사(taxi companies) 48
테런스 오딘(Terrance Odean) 242-243
텐배거(ten-bagger) 69
투명성(transparency) 32
투자성향효과(disposition effect) 242-243
튤립 파동(tulipomania) 15
트레이딩 페어(trading pairs) 95
트레이딩 화면(trading screens) 거래 화면 참조
트레이딩뷰 124, 192, 217, 255, 260
트레저 월렛(Trezor Wallet) 87
티커(tickers) 124

ㅍ

퍼드(FUD, Fear Uncertainty and Doubt) 37
펀더멘털(fundamentals) 152-173
페이스북(Facebook) 27, 29-30, 116-117, 196, 206
페이팔(PayPal) 46

편향, 편견(biases) 113-114, 236, 247-248, 251, 253, 258

포모(FOMO, Fear Of Missing Out) 28-30, 37, 112-113, 131, 253

포지션 크기(position size) 217-218, 223, 235

포지션 탭(positions tab) 98

포크(forks) 49

포트폴리오(portfolio) 215-222, 227, 243, 256-257

폰지 사기(Ponzi schemes) 30-35

플래시 크래시(flash crashes) 175

피나텍스트(Finatext) 168

피라미딩 전략(pyramiding) 221-222

피싱(phishing) 161

필사적으로 버티기(Hold On for Dear Life) 호들 참조

핍스터(Pipster) 168

ㅎ

하락장(bear market) 약세장 참조

핫 월렛(hot wallets) 83-85

헤드앤숄더 패턴(head-and-shoulders pattern) 139-142, 145, 201

호가 스프레드(spread) 100, 105

호가(ask price) 100

호가창(order book) 99-101

호들(HODL) 38-41, 59-62, 247-248

혼마 무네히사(Homma Munehisa) 127

확실한 정보(hot tips) 250

확증편향(confirmation bias) 113-114, 247

황금관(goldbugs) 247-248

횡보 추세(trending sideways) 119

효율적 시장가설(efficient market hypothesis) 111

휩소(whipsaws) 260

알파벳

ATR(average true range) 194-195, 203, 217, 218-220

E-골드(E-gold) 26

FTSE 100 239-240

NVM 비율(Network Value to Metcalfe ratio) 165-166

NVT 비율(Network Value to Transactions ratio) 162-164, 166

PCs 47, 51-52, 123

S&P 500 199-201

Trading View 68, 110, 119-121, 125-126, 128-131, 134, 136-138, 141-142, 145-150, 175-176, 178-179, 182-186, 190-194, 197, 200-202, 204-206, 208-210, 219, 224-226, 230, 252

yetanotherico.com 156-160